神に愛されていた

木爾チレン
Chiren Kina

実業之日本社

夢を見るから、人生は輝く。

——モーツァルト

神に愛されていた

装画　日下明
装丁　岡本歌織（next door design）

後 奏

Postlude

何十年も磨かれなかった歯のように黄ばんだキーボードの上に、埃《ほこり》が積もっている。かつては身体《からだ》の一部だった。愛も涙も膿《うみ》も、私のすべてを受け止め、作品に昇華してくれた魔法の板。

ピアノの鍵盤を弾くように中指を乗せると、埃たちが一斉に目を覚まし、小窓から差し込む陽だまりのなかで光りながら踊りだす。

その過去の輝きが、喉の奥まで入り込んできて、私は思わず咳《せ》き込んだ。

この板で最後に作品を生みだしたのは二〇二〇年――もう三十年も前のことになる。皮肉にも、今でもその小説は、ベストセラーとして読み継がれている。

けれどもう、この容赦なく老いていく指は、どんなふうに小説を書いていたのか、思い出せない。もはや自分が小説家だったことさえ、忘れようとしている。

おそるおそる、起動するかもわからないパソコンの電源のボタンを押しかけたとき、チャイムが鳴った。

玄関へ向かいながら、私の心臓は波打ちはじめる。こうして友人ではないお客さんが来るのは、何十年振りのことだろう。

「東山《ひがしやま》冴理《さり》先生、はじめまして。私、日実《にちじつ》出版の——」

「——四条《しじょう》花音《かのん》さんね。わざわざ遠いところ来てもらって、ごめんなさいね」

「……いいえ。こちらこそ、お時間を作って頂きありがとうございます。私、先生にお会いできる日を、ずっと夢見ていました。これ、ほんの気持ちですが、よかったら」

「ピエール・エルメのマカロン、大好物よ。いま、お茶を淹れてくるから、一緒に食べましょう」

そう言って私がほほ笑みかけると、緊張していたのだろう彼女の顔が少しゆるんだ。

わざわざ私の好物を調べてきたのだろうか。それともエッセイなどを読んで知っていたのかもしれない。どちらにせよ、正確には好物だった、と言ったほうが正しいが、否定するほどでもない。

それに私は、そのチョコレートを溶かしたような彼女の甘い眼の輝きを見ていたかった。

キッチンで、TWGの紅茶を淹《い》れ、マカロンをお皿に盛る。ピンクはフランボワーズ、黄緑はピスタチオ、茶色はショコラだろうか。六十三歳を迎えた自分のことを、もう乙女と呼ぶのは相応しくないかもしれないが、少女の頃の憧れは、眺めているだけで心を豊かにしてくれる。

「紅茶、とてもおいしいです」

「そう、よかった。世界中を旅している友人からシンガポールのお土産でもらったものなの」

柔らかそうな桃色の唇が、数年ぶりに食器棚から選ばれたウェッジウッドのいちご柄のティーカップに触れている。編集者なんて裏方の仕事に就くにはもったいないほど、整った顔。

――本当に、そっくりだ。

「それで……メールにも書かせていただいた通り、不躾《ぶしつけ》ながら、今日は執筆依頼に参りました。前作の発表から、もう三十年という年月が経《た》ちますが、先生の作品を待っている読者はたくさんいます。私も……その一人です。何年かかっても構いません。先生の新作、一緒に作らせていただけませんか」

まっすぐに私を見つめる真剣な眼差《まなざ》しも――瓜二《うりふた》つというほどに、似ている。

まるで少女の頃に戻ったような心地になって、もう気にならなくなっていた白髪交じりの髪や、顔に刻まれた深い皺《しわ》たちがさんざめき、古傷を抉《えぐ》られるように、途端に恥ずかしくなってくる。

しかし何年かかっても――とは。私の年齢を知っているのに、体力が無限でないことを知らないから言えるのだろう。若いということは、それだけで無敵なのだと思い知らされる。

「ありがとう。あなたみたいな若い人にそう言ってもらえるのはとても光栄だわ。けれど作品を書くというのは、とても気力と体力が要ることなの。特に私の場合は、自分の心に溜《た》まった膿を絞りだすような……痛みまで伴う」

紅茶を啜《すす》りながら、本棚を眺める。そこには自著も並んでいる。

これまでに九冊の本を出版した。どの本を読み返しても、まるで津波が押し寄せてくるかのようなその迫力のある文章を、自分が書いたものだとは到底信じられない。ベストセラーになった最終作に至っては、煮えたぎる命のかけらそのものが、物語を紡ぎだしている。

「それは、一読者としても、わかっているつもりです。だからこそ先生の作品は素晴らしいとも感じています。まるで命そのものを読んでいるような、迫力があります」

「ありがとう。でも今の私にはね、もう痛みなどないの。つまりもう書くべきことがないのよ。死への恐怖も、愛に対する執着も、息ができないほどの劣等感も、もはや私にはなにもない」

今の私は、生ける屍《しかばね》だ。ただ死の順番が巡ってくるのを待っているだけの、不甲斐《ふがい》ない肉体。

「わかります。私は今年三十二歳になりますが、少女だった頃に比べれば、感情は減っていくものなのだと実感しています。けれど……。小説は、痛みだけを書くものなんでしょうか。今の先生なら、痛みの向こう側にある物語を書けるのではないでしょうか」

「…………ふははっ」

言葉を失ったあとで、思わず私は笑った。

やっぱり、面白い子だ。

こんなにふうに感情が揺さぶられるのは、何十年ぶりだろう。

「あ、す、すみません。私、生意気言って」

「いいえ。その通りかもしれないと思ったの」

冷静を装いながら答えると、彼女は安堵《あんど》の息を吐いてから、再び真剣な面持ちになった。

「じゃあ……、今の先生にしか書けないものを……是非、私と作っていただけませんか」

色鮮やかに思い出す。

——私、なんでもします。だから冴理先生……、私と一緒に小説を作りましょう。ぜんぶ、奪い返すんです。

かつての編集者が、凍える私を抱きしめながらそう言った、あの日のことを。

「私には書く権利がないの」

喜びに胸の奥を激しく打たれながらも、私は言った。

「あなたなら、知っているでしょう」

そう問いかけると、一瞬にして、彼女の目つきが変わる。

——この目を、待っていた。

私のことを、心の底から突き刺す視線を。

「……それは、三十年前……白川天音《しらかわあまね》先生が亡くなったことに関係があるのでしょうか」

声さえも愛らしい彼女の声が、半音下がる。

そうだ。もう私の前で、下手な演技などしなくてもいい。

私を罵倒すればいい。

なんなら、あなたになら殺されたっていいのだ。

だから私は今日、端《はな》から執筆依頼を受ける気もないのに、あなたを家に招いた。

「あなたは、誰かを殺したいと思うほどの絶望を味わったことってあるかしら」

——白川天音は、天才だった。彼女の紡ぐ言葉には、優しさと、希望が詰まっていた。ただ生きることを許してくれるような物語は、大勢の人の心を救った。私には決して書けない物語だった。

「私はあるわ」

息を呑《の》む音が聞こえる。

カップに添えられた手が震えている。

「……少し長くなるかもしれないけれど、聞いてくれるかしら」

今からあなたが欲しい答えを、私は話そう。

誰にも話さなかったことを。

他の誰でもない――あなただけに。

「聞かせて、ください」

私はゆっくり頷《うなず》いたあとで、その茶色の瞳の奥にあるものを見つめ、深呼吸をした。

忘れることなどできない。

あれは、すべてを失《な》くした春の日だった。

鴨川《かもがわ》に映る夕陽《ゆうひ》が生き物のようにきらめいて、心のきれいな部分だけで、私はそれを見つめていた。

そして、この美しい世界から、天音さえいなくなればいいと願っていた。

第一楽章

特別な少女に

——もう、五十年も前のことになる。

中学生だった私が住んでいたのは、ゴミ箱の中だった。

正確には、京都の三条京阪駅《さんじょうけいはん》近くのワンルームで、母とふたり暮らしをしていたのだけど、あの惨状はどこから見ても部屋と呼べるものではなかった。

服がミルクレープのように積み重なっていて、床なんて見えなかったし、どのタンスの引き出しもキャパオーバーしているのに、母が次々に新しい洋服を買ってくるから、一メートルほどの地層になっている場所もあった。

二人用のダイニングテーブルには、弁当やカップ麺の容器がきれいに重ねられて置かれ、本末転倒というか、食事をするスペースはなかった。だから私は、母が買ってくる分厚いファッション雑誌をテーブルにして、ご飯を食べていた。いつも即席のものや出来合いのものだった。キッチンにはゴキブリが蠢《うごめ》いていたから、自炊をする気にもなれなかった。

洗面台のコップには、まるで花みたいに、何十本もの毛先が広がった使用済みの歯ブラシが生けられていた。新しい歯ブラシを探すのが大変で、私はいつも、古い歯ブラシを捨てたいと願いながら歯を磨いていた。おそるおそる「これ、何に使うん」と訊《き》いてみると、

「掃除」と母は答えたけれど、掃除をする気配は一切なかった。

そもそも浴室は焦げたようなカビだらけで、浴槽も行き場のなくなった雑貨の墓場になっていて、とてもじゃないけれど入れる状態ではなかった。だから近くの公衆浴場が私の風呂場だった。

そんな惨《むご》い現実を受け入れたのは、たまりかねて、母が眠っている間に、部屋のゴミをまとめた明け方のことだった。

カサカサと音がして起きたら、私がまとめたゴミ袋の中身を、母が一心不乱に漁っていた。そして次々に、ほとんどのものをゴミ袋から放り出していった。使用済みの割り箸も、食パンの袋の口を止める水色のやつも――、バナナの皮以外はぜんぶ。

私の絶望した視線に気が付くと、母は静かに「いつか使うから」と言った。

その回答に納得できずに、衝動的に私は言った。

「いつかって、いつ？　こんなんぜんぶ、もうゴミやん」

すると母は猛獣のように近寄ってきて、私の右頬を思い切り打つと、こう言った。

「二度というな」

じんじんと酷《ひど》い痛みが波打つ頬を押さえることもできずに、私は頷いた。

そして同時に、母はやはりゴミを捨てることに怯《おび》えているのだと悟った。

以前の母は、神経質なほどのきれい好きだった。要らないと判断したものは、躊躇《ちゅうちょ》なく捨てていた。

――だけど、あの日を境に何も捨てられなくなった。

その日のことは、後でお話しすることになるでしょう。

とにかく私は、覚悟を決めるしかなかった。一人で生活できるようになるまでは、このゴミ箱のなかで暮らしていくしかないのだと。

いま思い返せば、とても年頃の少女が耐えられる環境ではなかった。

でも当時の私は、可哀想《かわいそう》になるほど慣れてしまってもいた。ゴキブリが部屋を這《は》いまわる音が生活のBGMとして普通に流れていることに、恐怖も感じなかった。ゴキブリより母に打たれることのほうが、何倍も恐怖だった。

汚部屋の果てで、唯一の楽しみは本を読むことだった。

永遠に使われることのない、いつか使うかもしれないゴミに囲まれながら小説を読んだ。

きれいに印刷された文字だけが、私の心を救ってくれた。

本をひらけば、どんなに地獄のような場所にいても、違うだれかの人生を送ることができた。

そう――私はいつも、ゴミ箱の中で夢をみていた。

思い返せば、すべての元凶は、高校で文芸部に入ってしまったことだったのかもしれない。

幼稚園から中学を卒業するまで、私は私立のミッション系の学校に通っていた。けれど高校からは、公立の学校に進学することになった。母子家庭になり、学費が払えなくなったのが理由だった。

公立高校には、今まで接したことのない人種がそろっていた。それまでギャルなんて、テレビの中の生き物だと思っていたけれど、一軍と言われる女の子は、みんな校則違反の明るい髪色をして、芋虫のようなルーズソックスを履き、濃い化粧をしているのがテンプレだった。

でも人は、どんな環境にも順応するようにできているのね。一カ月も通えば、彼女たちの乱暴な言葉遣いにも、男子のだらしない腰パン姿にも慣れ、私には神に祈る習慣だけが残った。

文芸部は人気がなくて、一年生のころは、新入部員が私一人で、上級生は幽霊部員ばかりだった。帰宅部代わりになっていたのかもしれない。うちの学校は絶対に部活に入らなければいけないという校則があったから。

与えられた部室は狭かったけれど、壁には大きな本棚がいくつも据えつけられてあり、そこには単行本だけでも五百冊近くの小説があった。私はその本たちを好きなように並べ替えては、うっとりした。著者名やタイトルであいうえお順にしてみたり、出版社別にしてみたり、背表紙でグラデーションにしてみたり。

卒業するまでにぜんぶ読もうと決めて、放課後は、下校時間になるまで部室にこもって読書をした。

自分でも小説を書いてみたくなったのは、一年生の冬だった。

漠然と書けるような気がしたの。だってこれまでに、何百冊も読んできたのだから。でも、いざ書き出そうとすると、まるでうまく書けなかった。一行目から駄作の臭いがした。失望せずにはいられなかった。読むのと書くのがこんなにも違うことを、思い知らされた。

それから小説を読むときは、技術にまで目を通すようになった。それまではストーリーしか追いかけていなかったから、いかに表面的に小説を読んでいたのかを体感して、なんだか悔しかった。恥ずかしながら私は、一人称と三人称の違いさえ意識して読んでいなかったの。だから同じ本を読み返しても、新たな発見がいくつもあった。

そして書くことへの研究を重ねながら、春休みの直前、私はついに一作目を書き上げた。

といっても一万文字にも満たない短編。京都を舞台にしたファンタジックなボーイミーツガールの物語だった。今思えば森見登美彦に感化された故の、真似《まね》といっても過言ではない小説だったけれど、私は己惚《うぬぼ》れまくった。

天才なのかもしれない、って思った。

誰かに読ませたい気持ちでいっぱいになった。印刷して屋上からばらまいてやろうかなんて、そんな想像が止まらなかった。

書き上げた高揚感で、まだ寒い三月の鴨川沿いを、三条から七条辺りまで制服姿で走った。

スカートの中へ吹きこむ風の冷たさも感じないほどだった。作品を完成させるということの達成感は、この世の何も敵《かな》わないのだと知った。

いい気になって、春休みのあいだ、いくつも短編を書いた。文体はやはり、その時々ではまっていた作家の文体に寄ってしまっていたけど、読み返してみれば、私が共通して書いていたのは痛みだった。

自分でも知らなかった。

思えばいつも、自分が生み出した作品だけが、自分を教えてくれた。

二年生になると、奇跡的にというか、帰宅部目的ではない読書好きの新入生が二人、文芸部に入部してくれた。

円町舞衣《えんまちまい》と北大路秋子《きたおおじしゅうこ》。

ふたりのタイプは対極だったけれど、これ以上なく、息のあった凸凹《でこぼこ》コンビだった。

舞衣は百五十センチと小柄で、三白眼気味だけれどくりくりした、朝の猫のような目をしていた。

腰まで伸ばした黒髪を姫カットにするのがポリシーで、大正ロマンに憧れていて、吉屋信子の小説を好んで読んでは、「この時代に生まれたかったわあ」というのが口癖だった。しかし、乙女らしい口調では一切なく、誰よりも毒舌だった。

秋子はすらりと背が高く、百七十センチもあって、一重の切れ長の目が美しい、宝塚系の顔立ちをしていた。運動神経もよくて、女子からもひそかに人気があったのだけれど、当の本人は天然で空気が読めず、BL小説を読むことが生きがいで、BL作家になることを夢みていた。

クラスになかなか馴染《なじ》めないでいた私は、同級生に友達と呼べる存在がいなかったから、放課後になれば、後輩たちと仲良く談笑できることが、本当にうれしかった。

ただの高校生の印だった群青色の制服に、ようやく青春という意味が付与された気がした。

17
―
33

そして三年生の春。

また一人、後輩ができた。

嵐山茉莉《あらしやままり》。

そう。あなたは知っているわね――彼女は私の、魂の片割れとなる存在。

あの頃の茉莉は、元気を具現化したような存在だった。

生まれつき茶色がかった髪を、どんなときもポニーテールに結んで、それを揺らしながら、隙あらば私に飛びついてきた。まだ垢《あか》ぬけなくて、美少女というわけではなかったけれど、ポカリスエットのコマーシャルにでてきそうな、そんな爽やかさがあった。

茉莉はまるで従順な犬みたいに私に懐いた。私も茉莉のことをとても可愛《かわい》がった。

妹ができたなら、こんなふうに愛《いと》しく思うのだろうと、腕を絡めるたびに思った。

ともかく、四人で過ごしたあの時間は、人生の宝物と言って違いない。

こんなに齢《とし》をとっても十一月の文化祭の季節になると、昨日のことみたいに部室の光景を思い出すのだから。

「やっと校了や」

文化祭の二週間前だった。

舞衣が大きく伸びをしながら言うと、茉莉が私の背中に飛び付いてはしゃいだ。

「これで印刷所にまわせば、文化祭には間に合いますね」

「まあ、間に合ったところで、誰も読まへんけどな」

「それは言わん約束やろが」

秋子が机に頬杖《ほおづえ》をついたまま空気の読めない発言を放つと、舞衣が秋子の首をしめる真似をする。お約束の光景だった。

「だって去年、百部も刷ったのに、二十部しか貰《もら》われへんかったんやで。タダやのに。全校生徒八百人もいるのに。しかも、私のファンの子なんか、私がBL書いたことにがっかりして、泣きながら返しにきたんやで。泣きたいのはこっちやったわ」

「どうでもええけど、舞衣は、なんであんたみたいなもんにファンがいるんか、さっぱりわからんわ」

「それは、舞衣みたいにちんちくりんじゃないからちゃう」

「誰がちんちくりんじゃ」

私は取り留めのない漫才のようなふたりの会話を聴くのが好きだった。

「でも、締め切り守るんが、作家への第一歩ですよね、冴理先輩」

茉莉が私に抱き付いたまま、訊《たず》ねた。

「うん、プロ作家になるんやったら、締め切りは絶対や」

文芸部は全員が小説家になることを目標にしていて、私はデビューもしていないくせに、いつもそんな上から目線のアドバイスを送っていた。

「冴理先輩は絶対将来、すごい賞をとらはるんやろうな。だって冴理先輩の小説、神やもん。この短編『はじめに小説、次に感情』なんか、もうプロみたい。それにこの間の小説幻聴の新人賞に送ったやつ、一次審査通過したんですよね。はじめて応募した作品が一〇〇〇人中の一〇〇人に選ばれるなんて、ほんまにすごいわ」

なぜなら茉莉がいつもそう言って、私を崇《あが》めてくれたから。

けれど三年生になった私は、新人賞にはじめて投稿した小説が一次審査に残ったことも手伝い、自分でも、自分の小説が優れていると感じはじめてもいた。

「冴理先輩がプロになったら、『オペラ』にプレミアつくかもなあ」

「絶対売るなよ」

無邪気に笑う秋子に、舞衣が睨《にら》みをきかせる。

――ええ、そう。

あなたの言う通り、『オペラ』は、私が二年生のときに文芸部ではじめた同人誌。

文化祭の時季、「なんか文芸部らしいことしたい」と舞衣が言い出して「じゃあ同人誌でも作って、文化祭で配ってみる？」という話になった。

それまで部費の使い道は書籍を購入するくらいしかなかったから、たとえ余ったとしても冊子を作ってみるというのは、とても有意義な使い方だった。

自分たちで本を製作するのは、大変だったけれど、その分楽しい作業でもあった。自分が書いた文章がはじめて活字になったときの感動は、言い表せない。たとえどんなに下手くそな、あるいは意味のない文章だったとしても、活字になるだけで、それは作品となるのだと知った。

『オペラ』を発行したことによって、私たちの作家になりたいという夢は、ますます膨らんでいった。

「そういえば冴理先輩、京大受けはるんですよね」

どこから知ったのか、舞衣が訊いてきた。見かけによらず、舞衣には情報屋な一面があった。

「作家になったときに、京大出身やと恰好《かっこ》ええからね」

そんなふうに私は、部室ではいつも、いきっていた。言い換えると、ものすごく気取っていたということ。

反面、教室にいるときの私は、今ではもうこんな言い方しないのかもしれないけれど、陰キャと呼ばれる存在だった。いじめられていたわけじゃないけど、これといった友達はできず、三年生になっても、どのグループにも所属していなかった。男子から気を持たれることもなく、女子から下の名前で呼ばれることもなかった。

文学少女という偶像に憧れすぎて、あえて三つ編みで、金縁の丸眼鏡をかけていたのが、その要因になっていたのかもしれない。けれど別に困ることはなかった。私は本気で、その恰好がいちばん素敵だと感じていたし、無理に群れようとも思わなかった。クラスメイトと月9ドラマについて話すより、教室の隅で小説を読んでいたほうがずっと幸福だった。

文化祭当日は、部室の前の廊下に机をふたつ並べて、白い布をかぶせると、『オペラ』を並べた。

今年は水彩画を習っていた茉莉が、『オペラ』という名にぴったりな装画を描いてくれたから、去年よりもずいぶん上等な仕上がりになっていた。そのおかげか、小説など興味もないだろう女子生徒たちが、お土産感覚でもらってくれたりもした。

「へえ、これあんたらが作ったん。すごいやん」

校則違反の大きなリボンを揺らしながら、他校でも噂《うわさ》になるほどの学校一美人なギャルが、去年の分まで持ち帰ってくれたときは、全員でドキドキしながら目を見合わせて笑った。

『オペラ』はその年も百部刷って、半分が残った。

前年は八十部も余ったことを考えれば、大した成果だった。

あのギャルが自分の小説を読んでくれたらいいなと、私はひそかに願った。

仲良くなりたかったわけじゃない。

ただ、特別な人に、自分の特別さを知ってほしいと思った。

バカみたいだけれど、私は心のどこかで、自分は特別な少女だと、そう信じながら生きていた。

神に愛された特別な才能があると。

十七年しか生きていないのに、この世の全てを知り尽くしたつもりでもいた。

もちろん本当は、笑ってしまうほど、何も知らなかった。

けれど、なにもかもを知らないことは強い。

なにもかもを知っているより、ずっとずっと強い。

でも、それさえも私はまだ知らなかった。

卒業式の日は、バケツをひっくり返したかと思うくらいの大雨だった。履きつぶした焦げ茶色のローファーの中に容赦なく雨が染み込んできて、紺ソックスはすぐに水浸しになった。

そんな悪天候の中でも、後輩たちは駆けつけてくれて、色紙と大きな花束をくれた。色紙には三人の思いが手紙みたいにびっしりと書き綴《つづ》られていて、読まなくても一瞬で宝物になった。

「冴理先輩、卒業おめでとうございます」

プロポーズをするかのように勢いよく花束を渡してくれたのは茉莉だった。真っ赤なカーネーションとかすみ草の花束。カーネーションの花言葉は「尊敬」なのだと、茉莉が教えてくれたことがあったから、それを選んだのが誰なのかはすぐにわかった。

「うちみたいな平凡な公立高校から京大へ行くなんて、冴理先輩だけやで。ほんまに凄《すご》いわ」

秋子が放った通り、私はこの高校で唯一、京大に受かった。元々、勉強はできるほうだったし、試験も手ごたえがあったけれど、合格発表のときは流石《さすが》に緊張して、自分の番号を見つけるまでは、口から心臓が飛びでるかと思うほどだった。

私は絶対に京大に合格したかった。私立大学へ進学する金銭的余裕がなかったというのも、現実的な問題としてあったけれど、京大に合格することは、自分が特別な少女であることの尤《もっと》もな証明になるような気がした。

「でも、淋《さび》しいです。冴理先輩と、もっと一緒に……小説の話をしたかった」

いつも潑剌《はつらつ》としていた茉莉の声が、ひどく震えていた。

「うちも、冴理先輩にBL書いて欲しかった」

空気の読めない秋子が、茶化すように真似して言う。

「そんなもん冴理先輩に書かせるな」

「だって冴理先輩なら、名作が生まれる気がするやん」

「BLに名作なんてあるんか」

「アホ、木原音瀬《このはらなりせ》先生読んだことないんか」

気づけばまた舞衣と秋子の、猫の喧嘩《けんか》のようなじゃれあいが始まっていた。

もう明日から、この痴話喧嘩も見られない。

毎日のように茉莉と腕を絡めることもなくなる。

四人ではいられなくなる。

そう思うと、悲しみがこみあげてきて、ふがいなくも私は泣き出してしまった。あの頃の私にとって文芸部は、この世でもっとも大切な場所だったから。

「冴理先輩泣かんといて。我慢できひんくなるやん」

私につられて、舞衣がほろりと涙の粒をこぼした。

「うわあああああああ」

すると茉莉が、堪《こら》えきれなくなったとばかりに、卒業生よりも大きな声をあげて泣いた。

あの涙はきっと少女の頃にしか流せない透明さだった。

そのとき、カシャリとシャッターの切られる音がした。見ると、秋子が手を伸ばして全員に写ルンですを向けていた。

「最後の思い出」

そう言ってピースサインをする秋子の無邪気さに、私たちは思わず笑い、そして最後という言葉にまた泣いた。

――これがそのときの写真。色褪《いろあ》せてしまっているけど、ずっと部屋に飾っているの。

学生時代の思い出は、もうこれしか残ってないから。

大学生になってからも、私は呼吸をするのと同じように、小説のことばかりを考えていた。

その日は午後から授業で、適当に選んだ「犯罪心理学」の講義を聴きながら、夜更かしして読んだ小説の余韻にひたっていた。

『ノルウェイの森』――私はいちばんといっていいほどこの物語が好きだった。憧れてもいた。もしかしたら、恋愛自体に憧れていたのかもしれない。あの頃の私は、一度も誰かを好きになったことがなかったから。

だから大学生になったら、自分と同じように本を愛し、できれば清潔感があり、マッシュっぽい黒髪の、「もちろん」と返事をしてくれるような、紳士な男の子と恋に落ちることを妄想していた。

同時に、もしも偶然どこかで村上春樹に会ったら「私もあなたみたいな一流の小説家になるのです」と、宣言するのだとも。

でも入学からしばらく経っても、私は一つの恋もできないままだったし、もちろん村上春樹に会うこともなかった。それどころか、せっかくの京大生なのに、全くキャンパスライフを楽しめていなかった。

配布されていたクオリティの高い同人誌に感動してミステリ研究会に見学へ行ったのだけど、場違いな気がして入会は断ってしまった。綾辻行人をはじめ、有名なミステリ作家が所属していただけあって、本格派たちの面々にはついていけそうもなかった。

私はどちらかというとミステリより文芸小説、もっというなら純文学が好きだったし、そもそも私が求めていたのは、あの陽だまりのような、文芸部だったのかもしれなかった。

それからは結局、バイトが忙しくて、サークルどころではなくなってしまった。

母が突然、仕事をやめてしまったから。長年勤めていたスーパー。何があったのか詳しくは話してくれなかったけれど、想像に難《かた》くなかった。母はきっとクビになったのだとすぐにわかった。最近、店長が替わって、そりがあわないことを愚痴っていたから。

「次の仕事、すぐ見つけるから」

母は言ったけど、仕事を探す様子はなかった。買い物に行く以外は、八畳のゴミ箱の中で佇《たたず》んでいた。その目は死んでいて、母は人生に疲れ切っているように見えた。かといって生活保護を申請するのは、プライドが許さなかったのか、絶対口にはしなかった。だから当面の生活費は、私が稼ぐしかなくなった。

時給の高いバイトといえば、家庭教師だろう。

応募すると、京大生というブランドは強くて、面接もなしに雇ってもらえた。読書の時間が減るのは惜しかったけれど、バイト自体はあまり苦じゃなかった。生徒たちはみんないい子だったし、なにより「冴理先生」と呼んでもらえたから。

週末になると、茉莉の家にも家庭教師をしに出向いた。

「冴理先輩――じゃなくて、冴理先生、こんにちは」

薄々感づいていたけれど、茉莉の家はかなり裕福で、私が家庭教師のバイトをしていることを話すと、もうすぐ受験生ということもあり、前のめりで来てほしいと頼んでくれた。業者を介さず直接雇ってくれたから、正直とても助かった。

「もう、先輩でええんよ」

「えへへ。じゃあ、冴理先輩。私、ずっと土曜日が待ち遠しかったです」

でも一方で、本来なら、無料で教えてあげるべき存在だったから、私はなんだか申し訳なかった。

「そんなふうに言ってくれてうれしいわ。でも、雇ってもらってごめんね」

「何を言ってるんですか。私は冴理先輩に会えるし、冴理先輩はバイトできるし、一石二鳥じゃないですか。あ、そうだ。今日も夕飯、食べていってくださいね。すき焼きなんですよ。ママ張り切ってお肉買いすぎたって、さっき言ってたから」

そう言って茉莉はいつも、夕食までご馳走《ちそう》してくれた。

香ばしく焼かれた白ネギ。形のいい半兵衛麩《はんべえふ》。大豆の味がしっかりする豆腐。髙島屋で買ったという、見るからに高級そうな肉に、真っ白な砂糖と、近所のスーパーでは見たことのない銘柄の醤油《しょうゆ》で味付けをされたすき焼きは、人の家だというのに手が止まらないほどに美味《おい》しかった。

「冴理先生、たくさん食べて帰ってね。家《うち》でよかったら、いつでも食べに来て」

「はい、いつもありがとうございます。頬が落ちそうなくらい、美味しいです」

当たり前のように肉を頬張りながら、茉莉がこちらを見てほほ笑む。

「冴理先輩がくると、家が明るくなります」

茉莉はきっと、私がお金に苦労していることに気付いていた。

なぜなら私は、同じ服ばかりを着ていたから。

それも中学生のときに買った無難なユニクロの服。ユニクロでもおしゃれに着こなすモデルとは程遠く、平凡体型の私は、周囲に相当野暮ったい印象を与えていたと思う。着回しなんて高等なテクもなく、組み合わせも数パターンしかなかった。

制服じゃなくなるだけで、なぜ二日以上同じ服を着てはいけなくなるのか――なんていう疑問さえ抱いていていた。

でも開き直っていたわけじゃない。自分でも恥ずかしいという気持ちはあった。

――だけど服だけは、買う気が起こらなかった。


それについては、母がゴミを捨てられなくなった理由について、話さなくてはいけない。

まず、両親が離婚することになったのは、私が中学に上がる少し前だった。

『なあ、ゴミ捨ての日、いつにするん？』

『いつでもええで。うちのマンション、いつでも捨てられるから』

『あはは。じゃあ、明日捨ててよ。あんなダサいゴミ女』

『いや。よく考えたら、粗大ゴミやから無理やわ』

父は長らくのあいだ不倫をしていて、二人は少なくともメールのなかで、母のことをゴミと称していた。

『ゴミ捨てで、あいつも捨てられたらいいのに』

遡ると、父がそんなメールを女に送っていたのが、母をゴミと呼ぶようになったきっかけだった。

母は毎朝、父がどんなに忙しそうでも、「ゴミ捨て、よろしくお願いします」とゴミ袋を託していた。

家事を一切しない父に、それだけでも協力してもらうことが、母にとって父を許す儀式だったのだと思う。それとも、愛を確かめる術《すべ》だったのかもしれない。

もちろん、家事を手伝わない父に問題があるのは間違いない。

けれど父は、その毎日繰り返されるルーティンに苛立《いらだ》っていた。

というよりそもそも、母を愛してなどいなかった。それは、家に流れる空気を感じるだけで明らかだった。

だから二人が離婚することは、ちっとも悲しくなかった。ようやくかという気持ちだった。

離婚することが決まってから、父は私を連れていくことを強く望んだ。母に対しては最低な父だったけれど、私のことは心底可愛がってくれていたから。それに私は、母の胎内から出てきたことを疑問に思うほど、父にばかり似ていた。

「渡さない！　冴理は、私のやから！」

けれど母はあのとき、そう叫んだ。

普段、仏像のようにおとなしくて、口数の少ない母が。

だから、あんなふうに母が声を荒げたのを聞いたのは、はじめてだった。

幸せな家庭で生まれ育った人には理解できないかもしれないけれど、父が不倫してしまうことを当然だと思ってしまうほどに、私も母のことを好きになれなかった。というより、母のことが好きな人間などいなかった。どちらかというと顔立ちのいい父がどうして母みたいな人間と結婚したのか、理解できなかった。

母はまるで能面を顔に張り付けたみたいに、感情表現に乏しく、薄い顔立ちで、その上、愛嬌《あいきょう》も、つかみどころもなかった。なのにもかかわらず、人一倍こだわりや執着心やプライドが強く、自分の考えを無自覚に人に押し付けずにはいられない人だった。それが他人も、自分をも、苦しめていた。例外じゃなく、私も幼い頃からずっと、その性格に苦しめられていた。

けれど母が叫んだあのとき、私は無条件にうれしかった。

母親から必要とされることは、こんなにも自分の存在意義に繫《つな》がるのだと知った。

「お父さん、私ここに残るわ」

だから私は、衝動的に、あの部屋に母と残ることを望んでしまった。父の恋人と住みたくないという思いもあった。血の繫がりほど、厄介で、安心できるものはないのだから。

けれどもちろんそれはすぐに後悔に変わった。

二人暮らしを始めた途端、母がゴミに執着するようになってしまったから。

言わずもがな、ゴミと自分を重ねていたのでしょう。

私は毎日、父についていけたら、どんな人生が待っていたのだろうと考えずにはいられなかった。きっと私より、父に飼われる金魚のほうがいい暮らしをしているに違いなかった。

でももう、父がどこで暮らしているのかも私は知ることができなかった。母は知っていたのかもしれないけど、絶対に教えてくれなかった。きっとそれも、母が考えて決めたことだった。


——気が付けば、季節はまた冬になっていた。

京大正門前からバスに乗りこんで、三条京阪前の停留所に着くまでの十五分間、私は本をひらくことなく、目をつむっていた。

その日は一日中、雨が降っていて、十二月の冷たい雨水が、履きつぶしたコンバースの底から染み込んで、足先が凍りそうだった。

もう新しい靴を買うこともできないほど、家庭教師のバイト代だけでは、立ち行かなくなっていた。

昼夜逆転した母が、深夜のテレビショッピングを明け方まで見続け、衝動的に服を買い漁《あさ》るせいだった。

繰り返すけれど、母はとてもプライドが高かった。

だから不倫相手の女が放った「ダサいゴミ女」という一言が耐えられなかったのだと思う。

あれからもう何年も経っているというのに、服を買い続けていた。けれど、どれもこれもしっくりこなくて、すぐに地層の一部になった。

当然だった。だって母は、きれいでもなんでもない、その辺にいる小太りの、普通の主婦だったのだから。私がユニクロを着こなせないのと同じように、何を着ても、センスがよく見えることはなかった。

だから私が着られるサイズのものはなかったし、着たいと思うデザインもなかった。

そもそも、手に取って眺めていただけでも、「それ、私のやから」と注意されるのだから、着ることは許さなかった。ぜんぶ、部屋を埋め尽くす無駄な布でしかなかった。

でも「服を買わないで」とは言えなかった。邪魔で仕方ないのに、無断で捨てることもできなかった。

半分は母がこわかった。もう半分はきっと、罰を背負いたくなかった。

いつだって神は言う。

「赦《ゆる》しなさい。そうすれば、あなたがたも赦される。与えなさい。そうすれば、あなたにも与えられる」

だから私には、自らの手で、母を裁くことはできなかった。

その日は、クリスマスイブであり、私の誕生日だった。

バイトに明け暮れていた私には、十九歳になったことを祝ってくれる恋人は、もちろんいなかった。

後輩三人から届いた、誕生日を祝うデコメールを読み返しながら、私は白い溜息《ためいき》とともに木屋町《きやまち》のキャバクラへ面接に向かっていた。

とにもかくにも、自分で稼げば、すべてが丸く収まるはずだった。生活も豊かになり、大学にも通い続けられる。経験がないゆえに、体を売ることだけは考えられなかったけれど、それ以外ならば、時給が高いことが正義に思えた。

でも店に入るなり、「何あの子、もっさ」という声が更衣室から聞こえてきた。もっさいというのは、ダサいということ。

自分では「意を決してこんな淫靡《いんび》な場所に来てやった」という感覚だったけど、そこではじめて「夜の世界に相応《ふさわ》しくない人間」ということに気が付いた。

なにせ、化粧もしていない上に、全身ユニクロだったのだから。

あのとき私は、人生でいちばん恥ずかしい気持ちを味わったかもしれない。

自分がイケている人間でないことは十二分に自覚していたけれど、こうして煌《きら》びやかな人間からダサい言われるのは、こんなにも惨めなことなのだと知って、母が服を買い続ける気持ちが少しだけ理解できた気がした。

不採用だ。そう察して帰ろうとしたとき、店内から黒服を着たオーナーが歩いてきた。下品な茶色い髪をオールバックにした男性は、いかにもヤクザという風貌だった。

読みかけの分厚い単行本が入った重たいリュックをぎゅっと抱え「場違いでしたすみません」と言い、香水とタバコの臭いが染み込んだ黒革のソファから腰を上げかけたときだった。

オーナーは、私の肩を両手でがっしりとつかむと、「この子は化けるでえ！」と大声で言った。

あまりの展開に、私は腰が抜けて、そのまま汚い床に座り込んだ。

「お。ちょうどええとこに出勤してきた。この子、今日、体験入店。メイクと髪したって」

オーナーは、だるそうに出勤してきた、『小悪魔ａｇｅｈａ』の表紙から抜け出てきたような、金髪のギャルに言った。

それがヨーコさんだった。

「ええ、めんどいしいややあ。しかも何その子、もっさ。ほんまに働けるん」

ヨーコさんは、噛《か》んでいるキシリトールガムをくちゃくちゃと鳴らしながら言った。

「ヨーコ、わかってへんな。この子は原石や。ほら、昨日遅刻した分、チャラにしたるから」

「ふーん。でもまあ、チャラにしてくれるならラッキーやわ。原石ちゃん、こっちきい」

しぶしぶというようにヨーコさんは言った。

私は促されるがまま、控室に入った。片側の壁には源氏名のプレートが差されたロッカーが並び、もう片側には壁を覆いつくす大きな鏡が貼られていた。

「あんた、化粧したことないん」

「はい」

やはりもっさいと思われているのだと、私は恥ずかしい気持ちで、びくびくしながら答えた。

鏡越しに見る私とヨーコさんは、体型から顔立ちから、何からなにまで違った。同じ女という括《くく》りで表すのが間違っているとさえ感じた。

「何歳」

「十九……じゃなくて二十歳、です」

「あたしより五つも下やん。どうりで肌きれいな筈《はず》やわ」

言い間違えたけれど、年齢を誤魔化していることには触れられなかった。きっと夜の世界にはそんな女の子は、ごまんといるのだと思う。

「肌、きれいですか」

「若いうちはわからんやろ。振り返ってみたら、きれいやったなあと思うで」

「そうなんですか」

私からすれば、上手に化粧の施されたヨーコさんの肌は、陶器みたいで、私よりもきれいなように見えた。

「てか、あんたほんまに原石かもな」

ラメがきらめくピンク色の爪の生えたヨーコさんの手が、私の顔を作っていく。魔法みたいだった。


「ほら見てみ、化けたやろ」

仕上がった私の顔をみて、オーナーは満足そうに言った。

やはり元が夜に相応しい容姿ではなかったから、キャバ嬢という風貌には程遠かったけれど、ヨーコさんが施してくれた化粧と、ハーフアップになった髪、店が貸してくれた赤色のマーメイドドレスで、たしかに私は、面接に来たときの自分からは考えられない変化を遂げていた。

「ヨーコ、この子の源氏名、何がいいと思う」

そのとき、新しい名前がもらえることに私はわくわくした。

「うーん。エリ、かな」

ヨーコさんは私の頬を、真珠やラメで装飾された爪でやさしくなぞりながら言った。

エリ。偶然にも冴理と一字違いのその名前を、私は気に入った。

「ええな。それでいこう」

それから私は週に何度か、夜の間だけ、エリになった。

仕事には案外、すぐに慣れた。お酒を注《つ》ぎ、タバコに火をつけ、ニコニコ笑って、なんでもかんでも褒めておけばいいのだから、きっとコンビニバイトなんかよりも、ずっと楽なんだろうと感じた。

出勤する日数は、どんどん増えていった。お金が足りなかったわけじゃない。

予想外なことに、お客さんがついてしまったから。キャバ嬢たちのなかで、よくも悪くも、ひとりだけ地味なのが「清楚《せいそ》」だと一定のお客さんに受けているらしかった。

私はそのとき、もしかしたら男の人は、完成品を求めていないのかもしれないと思った。

その証拠に、処女だというとウケがよかった。

別に嘘《うそ》はついていない。私はそれからもかなり長い間、処女だった。

そして、あっという間に、入店してから半年が経った。

不思議なほど、夜の世界にすっかりなじんでいる自分がいた。ダサい私を見かねて、ヨーコさんや他の女の子がサイズの合わなくなった服や、使わないメイク用品をどんどくれて、自分でも信じられないほどに垢ぬけていった。

「エリちゃん。最近、この辺、放火魔がでるらしいなあ」

父ほどの年齢の客がしつこく太ももを触りながら言った。

「ええ。めっちゃこわいですねえ」

次は、私の家を燃やしてくれたらいいのに――。

そう思いながら、私は大げさに相槌《あいづち》を打った。


「エリ、何の事情があるんか知らんけど、大丈夫やで」

その日の営業が終わったあとだった。心配そうにヨーコさんが私に言った。

「夢があれば、いつだって、どんな状況だって、抜け出せるから」

――夢。

その言葉を、忘れていたわけではなかった。

けれどあの瞬間、思い出したという言葉がいちばんふさわしかった。

この場所にいる限り、お金の心配をすることはない。夜に埋もれていた私は、太ももを触られる嫌悪感よりも、安堵の気持ちでいっぱいだった。

「ヨーコさんは、夢があるんですか」

虫が脱皮するように、ドレスを身体から引きはがしながら訊いた。

ヨーコさんとは違う、いつまでも少女のような小ぶりな胸が恥ずかしかった。

「夢がないと、こんなところで働けへんやろ」

ヨーコさんは常識だと言わんばかりにそう言ってから、「あたしは、お金貯《た》めて、世界中を旅するねん。エリは？」と訊いて、その大きな胸を堂々と披露しながら着替え始めた。

「私は……小説家に、一流の小説家になります」

私は言った。

村上春樹に会ったら言おうと決意していたセリフを、キャバ嬢に告げることになるとは思わなかったけれど、言葉にした瞬間、それは本当の夢になった気がした。

「それ、お金いらんやん」

ヨーコさんは笑った。

「ほんま、や。お金、いらんですね」

つられて、私も笑った。

「でも、がんばれ。あたし、エリのこと応援してる」

自分とは違う、細く、白い、女性そのもののようなヨーコさんの指が、私の頭を撫《な》でた。心地いい感触だった。男性が女性を好きになる理由が、その手から伝わってくるようだった。

帰り道、夏の気配が漂う深夜二時を歩きながら、私の目からは、どうしようもなく涙が溢れだした。

小説家になるのに、お金はいらない。

私はいったい、何のために働いているのだろう。

ネタにもならない男たちの若い頃の武勇伝を聞いて、太ももを触られて。

たくさんの本を読み、勉強して、在学中にデビューすることを目標としていたはずだった。

なのに――私はもう一年も小説を書いていなかった。

考え始めると、焦燥感に押しつぶされて、壊れてしまいそうだった。

だって自分は今でも、特別な少女だと、才能があると、信じていたから。

どうして神は、私に自由を与えてくれないんだろう。

夜の中、どんどんと過ぎていく時間が、心の底から憎いと思った。

そのときだった。

けたたましいサイレンを鳴らしながら消防車が二台、三条大橋の上を通り過ぎていった。

……また、放火魔がでたんだろうか。

私は、他人事《ひとごと》のように考えながら歩いた。

けれどそれからすぐに、サイレンの音が止まったとき、一条の光が雷のように心に走った。

早歩きで家に近づくにつれ、燃え盛る炎が視界を覆っていく。

――燃えていたのは、私が住む部屋だった。

数百匹のゴキブリと、地層になった服と、使用済みの歯ブラシと、母が、一緒に燃えていた。

声がでなかった。

まるで夢を見ているような心地だった。

部屋が燃え尽きるまで、ただ茫然《ぼうぜん》と、消防車のホースから放たれる大量の水を、鎮火していく炎を、眺めていた。

卒業式の日にもらった色紙だけを、取りに行きたいと考えながら。

20—33

ワンルームの部屋はおそろしい速さで燃え尽き、私の手元に残ったのは、いつも財布に入れていた、卒業式の日に取った四人の写真だけになった。

地域で事件が続いていることからも放火の疑いが強く、出火元はキッチンで、服をはじめとする大量のゴミに引火し、あっという間に炎が部屋を覆い尽くしたのだろうというのが、警察の見解だった。

「とうとう、燃えるゴミになったな」

葬儀の日、父はわるびれもせず冗談めかしてそう言った。

頷いた私は、やっぱり母のことをちっとも愛していなかったのだと知った。

それは罪深いことと知りながらも、どうしようもないことでもあった。

それよりも、父とまた会えたことが私はうれしかった。

「お父さんはどうして、お母さんと結婚したん」

衝動的に、私は訊いた。

「お前ができたから、仕方なくや。たった一発でできるとは想定外やった」

父は、あっけらかんと答えた。

「そっか。私、すごいな」

夜の仕事をしていたせいか、父の下ネタに、何の抵抗もなく私は笑った。

「きっと、神様に選ばれたんや」

そう言って、父も笑った。

「冴理、これからどこに住むんや」

それは父なりの、一緒に住むかという提案だったのだと思う。

でも私は、父の家で暮らすつもりはなかった。だって父にはもう私ではない、娘がいたから。

「後輩の家に、しばらく住ませてもらうことになってん。なんかもう私の部屋まで用意してくれたらしくて」

私は言った。後輩というのは言うまでもなく茉莉のことだった。

家が火事になったことを話すと、電話の向こうで、当事者よりも狼狽《うろた》えながら「え、か、火事って、冴理先輩、大丈夫なんですか。あの、ニュースでやってた、例の放火魔、ですか。怪我《けが》、してないですか。て、てか、全焼ってことは、住むとこなくなったってことですよね？ うち、部屋余ってるから、お母さんに冴理先輩が住んでいいか聞いてきます。というか、絶対住んでほしいです。ちょっと、待っててください」と、三倍速で話を進めていった。

その猪突猛進《ちょとつもうしん》さには心配になりながらも、正直安堵していた。電話をかけたのは、内心、そう言ってくれることを期待していたから。

「そうか。それなら心配いらんか。とりあえず残りの学費は、お父さんがぜんぶ払うから。苦労かけてごめんな」

残念そうに眉を下げて、父は言った。

「ううん、逆にありがとう」

どんなに最低だとわかっていても、下品でも、私は父という人が好きだった。わかりやすい人だったからかもしれない。愛されていることが、見つめられるだけで、ひしひしと伝わってきた。

反対に母のことを、この期に及んでも愛することができなかったのは、母の気持ちがわからなかったからなのだと思う。もしも母が、胸の中では私をどんなに愛してくれていたとしても、伝えてくれなければそれは愛していないのと同じことになる。

もしかしたら人は、愛を受け取ってから、誰かを愛し始めるのかもしれない。

――話の続きをしましょう。

茉莉の家で、私はこれまでにない快適な生活をさせてもらった。

茉莉の両親は絵に描いたようにいい人たちで、茉莉がこんなにもまっすぐに育った理由はすぐにわかった。私もこの家に生まれていたら、どんなに幸せだっただろうと思った。だけど、生まれなくてよかったとも思った。

だって、こんなに恵まれた環境では、茉莉のようには、小説を愛することはできなかったかもしれないと感じたから。小説というのは、私にとっては、救いでなければいけなかった。

「冴理先輩、今年の『オペラ』何部刷ると思いますか」

「そんなふうに言うってことは、多いんかな。二百部？」

「なんと、八百部です。今年、めっちゃくちゃ可愛い新入部員が入ったって、話したじゃないですか。その子が、どうせなら全校生徒に配ろうって言いだしたんです」

「それはすごいね」

「はい。その子、ものすごい企画力で、どんどん面白いアイデア思いつくんですよ。それで、文芸部以外からも小説応募して『オペラ賞』作ったりとか、かつてないほど盛り上がってるんです」

「面白そうやね」

「まだ一年生なのに、すごくいい小説書くんですよ。悔しいくらいに。『オペラ』刷れたら、渡しますね。冴理先輩にも、一回読んでほしいです」

「うん、たのしみにしてる」

眠る前になると、茉莉は私の部屋にやってきて、現在の文芸部のことなどを話して聞かせてくれた。

けれど私は正直、相槌を打ちながら、心ここにあらずだった。

執筆中の小説のことで頭がいっぱいだったから。

「おやすみなさい、冴理先輩」

茉莉が部屋を去ったあと、私はどんなに眠くても、パソコンを起動した。夜の稼ぎをつぎ込み、現金一括で買ったデスクトップ。帰りが遅いと迷惑になるから辞めてしまったけれど、ずっと続けてもよかった。夜の世界は必ずしもこわい場所ではないことを、夢を抱えている人がいることも知ったから。

私は毎日、眠さの限界まで、小説を書いた。キーボードを叩《たた》く音が好きだった。それまでは大学ノートに綴っていたから、なんだかプロになったみたいに思えて楽しかった。

勿論《もちろん》、母が死んだことを忘れたわけではなかった。

文章を綴りながら、幾度となく、燃え盛る炎の様子を思い出した。

でもあの夜、家が燃えたとき——私の心には悲しみの感情はわいてこなかった。

これでもう、あの家に帰らなくていい。

そう思うと、うれしささえあった。

というより——、うれしさしかなかった。

人生に打ち勝ったのだとすら思った。

ひどいと思うでしょう。私も思う。

けれど、一部のニュース番組で推測されていたように、あの火事はもしかしたら、母自身が起こしたものなのかもしれないと、私は感じていた。

それを証明するかのように、放火魔事件はあれ以来、発生しなかった。

煮えたぎる怒りを、私は小説にぶつけることができる。

けれど母は結局、人に押しつけることでしか、発散する術を知らなかった。

そんな人生に疲れ切ってしまったのだと、私にはわかった。

そして母にとってはきっと、服も私も、同じだったのだと悟った。

あの時、私のことを引き留めたのは、自分のものを、ただ盗《と》られたくないだけだったのだと。

けれどこうして、私の命を巻き添えにしなかったのが、最後のせめてもの母の愛というやつだったのかもしれない。

とにかく——私を縛るものはもうなくなった。

やっと神が、私に自由をくれた。

赦し続けたからこそ、与えられたのだと思った。

清潔な部屋で物語を綴りながら、私は、生まれてはじめて息ができたような気がした。

奪われた時間を埋めるかのように、書きたいことが、津波のように押し寄せてきた。

心に溜まった膿が、登場人物の感情を作り出してくれた。

決してきれいではない記憶が、嘘に真実味を齎《もたら》した。

もしかしたら、小説を書かない時間こそが、小説を生み出すのかもしれないと思った。

完成した小説は、かたっぱしから文学賞に応募した。

『オペラ』で自分の小説が活字になった瞬間から、小説家になれない人生なんて、想像すらできなかった。

いつも。

どんな状況にいても。

自分には特別な才能があると信じて生きていた。

「おめでとうございます。第十四回、幻潮新人賞の大賞に選ばれました」

電話がかかってきたその日は、クリスマスイブであり、私の誕生日だった。

第二楽章

才能の果てで

東山冴理先生へ

勇気をだして、はじめてお手紙差し上げます。

デビュー作の『孤独じゃなくて孤高』、何度も、何度も読みました。

百回以上、読んだかもしれません。(気持ち悪かったらゴメンナサイ)

私は生まれつき体が弱く、幼少期から入院生活を繰り返してばかりで、孤独で、いつ死んでもいいと思っていました。

いっそ死にたいとさえ、思っていました。

けれど、冴理先生の小説を読んでからというもの、操り人形だったピノキオが王女様に本物の命を与えられたように、生きる希望がわいたのです。

そして入院を繰り返していたのが嘘のように、みるみるうちに元気になっていきました。

高校生活に至っては、普通の生徒と変わりなく、過ごせるまでになりました。

すべては、冴理先生の小説に出会えたおかげです。

冴理先生は、私にとって、神です。

心からそう思っています。

緊張して、言いたいことが、うまく纏《まと》まらなくてゴメンナサイ。(字も汚くてゴメン

ナサイ）
これからも、心臓が動く限り、応援しています。
この世に生まれてきてくれて、小説を書いてくれて、本当にありがとうございます。

雨より

授賞式は二〇〇八年の三月末日だった。

私ははじめて一人で新幹線に乗り込み、品川《しながわ》へ向かった。朝から——いや、受賞の電話をもらってからずっと、浮足だっていた。カルピスを飲みながら、移り変わる窓の外の景色に、胸がドキドキして、痛いほどだった。

いうまでもなく、東京という街に足を踏み入れたのははじめてだった。

降りたった新宿《しんじゅく》の景色に圧倒されて、まるで未来へ来たみたいだと思った。

案内状に記されている会場は、都庁前の立派なホテル。ロビーに入っただけで、なんだかスターになった気がした。

いったいこれまでの人生は何だったのかなんて、ゴミ箱の中で暮らしていたことが、夢の中の出来事に思えた。あんなに愛しかった文芸部の日々さえもが、遠い過去のことのように感じた。

「私はこれから、雨水の一粒一粒に顔があるような、丁寧で、誰も見たことのないような奇矯な小説を書いていきたいです。そうしてどこかで淋しがっている女の子の支えになるような、ともだちみたいな作家になりたい。そうなれるように、一生懸命がんばります。

今回はこのように素晴らしい賞を与えて下さり、ほんとうにありがとうございました」

金屏風《きんびょうぶ》の前、人生ではじめて主役になった私は、そう挨拶を締めくくった。

授賞式が終わると、パーティーがはじまった。

まだ二十歳を過ぎたばかりだった私は、自分のために集まってくれたのだろう大勢の大人たちに怯えていた。いったい何をして過ごせばいいのか――、きょろきょろしていると、マカロンタワーが目に入った。といっても、そのときの私には、それがマカロンだという認識はなかった。

吸い寄せられるように近づき、カラフルなパレットのようなタワーから、ピンク色のマカロンを選んで、食べた。こんなふうに一口で……と実践したいところだけど、もう歳だから無理ね。

とにかく、噛んだ瞬間、東京にはこんなにも美味しいお菓子があるのかと感動した。バニラ、レモン、ローズ、夢中で三つほど食べ終わったとき、後ろから声をかけられた。

「冴理先生、ご挨拶よろしいでしょうか」

――先生。それは、家庭教師のときに生徒から呼ばれる響きとは全く違った。

ふりかえると私の背後には、行列ができていた。

ぜんぶで二十人くらいだったと思う。当然のことながら、全員が編集者だった。

名刺交換だけで終わった関係が大半だったけれど、「一緒にお仕事をしましょう」と小説の依頼をくれた編集者もいた。

――小説が仕事になる。

それはあまりにも夢のようなことで、現実感がなかった。それまでの私にとって執筆は、授業やバイトの間を縫って作る贅沢《ぜいたく》な時間だった。作品を書き上げたときの達成感が、何よりのご褒美だった。

でも私は、やはり知らなかっただけだった。

編集者の言う通り、小説は仕事だということ。

「才能にはね、果てがあるのよ。ほとんどの作家は、その果てに辿《たど》りついたときからが、勝負なの」

そして、審査員のうちの一人の先生が酔っぱらいながらこぼした通り、才能には果てがあるのだということも。


受賞作に改稿を加え、秋頃に発売になった私のデビュー作『孤独じゃなくて孤高』は話題作になったといってよかった。

純文学寄りの作品でありながら、重版を繰り返し、累計部数は三万部に達した。

千六百円近くする単行本。エンタメ作品でも一万部売れたらヒットといわれる時代で、それは新人として最高の出だしだった。

書評や、雑誌にもいくつか取り上げられて、その頃流行りだしたばかりのツイッターでは、私の小説について業界の有名人が、本格的な感想をつぶやいてくれたりもした。

授賞式の記事の写真に、「東山冴理可愛い」というコメントが書き込まれているのも見た。

夜の仕事を経て、身なりにも気を遣うようになった私は、作家のなかでは、外見が垢ぬけていたほうだった。

それに何しろ若かったから。若いというだけで、才能は何倍にも評価される。

新しい感性。新時代の物語。

そう——私は新しかった。

上京を決めたのは、大学の卒業式を迎える少し前だった。

茉莉は、これからもずっと一緒に住んでくれて構わない、傍にいて執筆を応援したい、と何度も引き留めてくれたけど、これ以上、ひと様の家にお世話になり続けるのは心苦しかった。

茉莉の家族は、私が居ることに嫌な顔一つせず、それどころか家族扱いをしてくれて、本当に良くしてくれたけれど、実の母にすら気をつかって生きていた私に、他人の家で気をつかわないで生活することは難しかった。

茉莉が第一志望だった同志社大学の文学部に合格したあとも、家庭教師をしてもらっているからと、家賃も生活費も受け取ってもらえなかったから、余計に。

それに私は、ひとりになって、もっと集中したかった。

新しい世界を見てみたかった。

憧れていたの。いつも小説にでてくる東京という響きに。

振り込まれた印税はほとんど貯金していたから、資金はあった。

土地勘がない私は、編集者が教えてくれた、飯田橋《いいだばし》駅から徒歩十分の場所に部屋を借りた。

同じ日本なのに、東京には、京都とはまったく違う空気が流れていた。良いか悪いかでいえば、良い空気ではなかった。京都のほうがずっと澄んでいた。

ふと鴨川のきらめきが恋しくなることもあった。でも上京したことを後悔したりはしなかった。新しい人生がはじまるのだという希望でいっぱいだった。

それに東京に住んでいるだけで、嘘みたいに交友関係が広がった。

編集者伝いに飲み会に誘われるようになり、そこには作家も参加していた。

最も仲良くなったのが、五つ年上で大阪出身の、村田《むらた》シャープという男性作家だった。

シャープは見るからに変わりものだった。ロン毛で茶髪、古着を使ったファッションセンスは独特で、いつもトレードマークのようにオレンジ色のハットをかぶっていた。

不思議の国のアリスに登場しそうや――というのが、第一印象だった。

シャープは、私小説といえるような純文学作品を書いていた。男性作家にしか書けないだろう、清々《すがすが》しいほどに女々しい感情描写に、私の心は揺さぶられた。小説なんてちっとも読まないような風貌をして、飄々《ひょうひょう》としているくせに、こんなにも繊細な文章が書けるなんてすごいと感じた。

あのとき、私ははじめて、人を尊敬するという感情を覚えたのかもしれなかった。

「サリンの二作目、売れてるんか」

シャープは私のことを、サリンと呼んだ。冴理先生を略して、サリン。ある事件が浮かび、不謹慎なあだ名のような気がしたけれど、シャープに呼ばれるたび、次第に可愛く思えてきて、結果的にそう呼ばれることを楽しみにしている自分がいた。私はシャープさんと呼んでいたけど、心のなかではいつも呼び捨てにしていた。シャープという響きが面白かったし、彼にぴったりだったから。

「こないだ一回、重版がかかりました。といっても、千部ですけど」

デビュー作に比べれば、それほど話題になっていないのは、目に見えて明らかだった。

「そうか。千部だって、大したもんやで。重版がかかるってことは、出版社にとって黒字ってことや。この調子やったら作家続けられるな」

「重版がかからなかったら、続けられないんですか？」

「そういうこともあるわな。出版社も商売やから」

「世知辛いですね」

「わはは！　世知辛いなんて、東京でてきてから久々にきいたわ」

シャープは当時二十七歳で、大阪から美大に進学するために上京して九年目だった。上京したばかりの私からすると、すっかり東京に溶け込んでいるように見えた。けれど、シャープ自身はいつも東京にいることに違和感を覚えているらしかった。

でも、こてこての関西弁を直さなかったのは、馴染めないのではなく、きっと彼のポリシーだったのだと思う。それにシャープには関西弁が似合っていた。関西弁じゃないシャープなんて、帽子をかぶらなくなった帽子屋と同じだ。

「サリン、小説っていうのは、自分のなかから膿をしぼりだす作業や」

「膿、ですか」

「そうや。ニキビつぶすと、白いのでてくるやろ。あれや」

「汚いもんってことですか」

「違う。しぼりだすとき痛いやろ」

「はい」

「その痛みが、小説になるんや」

シャープとの会話はいつもそんな感じだった。

つかめるようでつかめない抽象的な、けれど普通の人には見えない、心の奥のほうをまさぐられる言葉をくれた。

私はシャープと話すのが好きだった。

というより――、完全に好きになっていた。

ずっと思い描いていた理想の王子様とは正反対の彼を。

けれど、シャープにはうんと年上のイラストレーターをしている彼女がいて、その人に夢中で、会うたびに惚気《のろけ》話まで聞かされていたから、諦めるしかなかった。

「でも作家が本当に終わるときは、依頼がこなくなったときとちゃう」

「何ですか？」

「書けなくなったときや」

「そんなことあるんですか？」

そのとき私は、純粋な気持ちで訊いた。何があっても、ずっと小説を書いて生きていきたいと思っていたから。

「ないほうが奇跡や」

だからその言葉の意味を理解したのは、しばらく後になってからだった。

23—33

家にいる時間が長いからなのか、小説家になってからというもの、月日は恐ろしいほどはやく流れていった。

デビューから三年が経ち、私は次第に、小説家らしさみたいなものを纏うようになっていたと思う。

着実に、丁寧に、真面目に依頼をこなし、編集者とも率先して仲良くなるように心がけ、デビュー当時に開設したツイッターのフォロワーも、千五百人になっていた。

誰に強要されたわけでもないけれど、年に一冊の刊行ペースを守った。一年に一冊でも出版し、それが十年続けば、生涯作家でいられると、私を気に入ってくれたベテランの編集者から教わったからだった。

小説を書いているという点では、投稿時代から何も変わらないはずなのに、趣味で書いていた頃とは、全くといっていいほど違う作業だった。小説家に憧れていた時代のほうが、純粋に執筆を楽しめていたのは間違いなかった。だって自己満足するだけでよかった。もっというなら、書き上げた達成感を感じるだけで。だけどプロになったからには、企画書を通し、編集者を納得させ、確実に読者の心に届く作品を書かなければいけなかった。世の中に流通されるべきクオリティの作品に仕上げるということは、感性だけでは立ち行かない。才能と努力、どちらが欠けても、人の感情を揺さぶる何かを産み出すことはできない。傍《はた》から見れば、椅子に座ってキーボードを叩いているだけかもしれないけれど、尋常じゃない体力と精神力が必要だった。

「プロの小説家というのは、削る能力が最も必要だからね」

ベテランの編集者は、そうも教えてくれた。

私は魂を削って書いた文章を、魂を削って削った。初めの頃、それは自分の皮膚を剝ぐような、苦痛を伴う作業だった。しかし慣れてくれば、伸びてきた爪を切らなければ気持ち悪いように、必要不可欠な習慣になった。

そうして死に物狂い書き上げてみれば、二作目も、三作目も、私の小説の根底には「少女の痛み」がテーマとして流れていた。

一作目が話題になり、求められていたのもある。

けれど、おそらくあの時の私には、それしか書けなかった。

それでいいとも思っていた。

私は、自分の小説が世界でいちばん素晴らしいとさえ、感じていた。

もう少女という齢《とし》ではなかったけれど、自分が特別な存在であるということを、疑うことはなかった。

神は私にだけ、ほほ笑んでいるように思えた。
けれどそれは——、私だけが見ている幻想だった。

それに気がついたのは、第十八回幻潮新人賞の授賞式の日だった。

歴代の受賞者には、毎年招待状が送られてくる。上京してからは、必ず出席するようにしていた。出発の場所へ来るたび、初心を思い出して、新たな気持ちになれたから。

それに出向けば必ず、若き美人小説家としてちやほやされるのが、恥ずかしながら快感でもあった。自分で言うのもなんだけれど、あの頃の私は、若手のなかでも将来を嘱望された作家としての地位を確立していた。

けれどその日は違った。

会場は異様な雰囲気に包まれていて、誰も私のことなど目に留めていなかった。

理由は明瞭だった。

三年前、私が主役として座っていたその場所には、言葉を失うほどの、圧倒的な少女が君臨していたから。

加工した写真のような小さな顔。真っ白な肌。すらりと伸びた手足に、色素の薄い茶色い瞳。

その容姿は、小説家としては、あまりにも整いすぎていた。

目が釘付《くぎづ》けになったのは美しさだけではなかった。

彼女はウエディングドレスを彷彿《ほうふつ》とさせる、華やかすぎる白のワンピースを纏っていた。ブリーチを何回したのか想像もつかない、シルクのような銀色の、ふわふわとカールした髪の毛には小さなティアラまで載っていた。ライトノベルのヒロインが、間違えて現実世界へ迷い込んでしまったようだった。

「みなさま、はじめまして。白川天音と申します」

言うまでもなく――彼女こそが、白川天音だった。

「本日は天音のためにお集まりいただきまして、誠にありがとうございます。みなさまは今、なぜ、そんな恰好で授賞式に着たのかと疑問にお思いでしょう。きゃはは」

いやでも耳に残る、その独特な笑い方を、私は死ぬまで忘れることはない。

「そう――天音にとって今日は、結婚式のようなものだからです。結婚式とは神の前で愛を誓う儀式。つまり天音は、愛を誓いにきたのです。と、その前に――。本日、三月三十一日、奇跡的に二十歳を迎えました。奇跡的にというのは大袈裟《おおげさ》ではなく、天音は母のお腹《なか》の中にいた頃、病気に冒され、九十九パーセントの確率で死ぬと言われていたのです。けれど、産声をあげることが叶《かな》い、この世に誕生しました。ただ幼少の頃からずっと、長く生きることはできないと、言われていました。でも私は今、こうして生きています。みなさんの前に立っています。それは――小説に出会えたからです。小説が私の心に希望を宿し、命を救ってくれたのです。だから私はこの命が続く限り、小説を書き続けます。そして小説を愛し続けます。だからどうぞ、天音の小説も、愛してくれるとうれしいです」

ありきたりな挨拶ではない、まるで映画のワンシーンのようなスピーチにお世辞の拍手をした人はいなかった。

「わはは、これは大物になるぞ！」

いつもは仏頂面の幻潮社の社長が、ひときわ大きな笑い声を上げた。

昨日のことのようにありありと思い出せる。あの瞬間、あまりの存在感を前に言葉を失っていた会場が、いっきに温度を取り戻したことも。


パーティーがはじまると、天音の前には、編集者や取材陣が列を成した。私のときとは比にならない人だかりだった。

誰も手をつけようとしないマカロンタワー越しに、私はその光景を見守った。すべての種類のマカロンを口のなかへ葬り去っても、天音の列に並ぶ大人たちが消化されることはなかった。

「作品、素晴らしかったです」

「是非、うちで絶対書いてください」

「うちでも、お願いします」

ＡＫＢの握手会はこんな感じなのだろうか。必死にそんなことを考えながらも、動悸《どうき》が止まなかった。今まで熱心にしてくれた大人たちが、瞬く間に自分から興味を失っていくのがわかった。美人小説家だなんて謳《うた》われていたことが、黒歴史に変わっていくようだった。

ようやく対応を終えた天音が、審査員を担っていた先生たちに挨拶してまわりはじめた。

「白川先生、おめでとうございます。受賞作『フィガロの夢』、しびれたわ。これからも、頑張っていい作品を書いてね」

「きゃあ。窪田《くぼた》先生、うれしい。ありがとうございます。てか天音、先生なんて柄じゃないですよ。天音って呼んでやってください。きゃはは」

天音は、大御所といえる三人の審査員の先生方に、天真爛漫《てんしんらんまん》といえるような調子で受け答えをしていた。

「白川さん、おめでとう」

「お人形さんみたいだね」

次に歴代受賞者が、各々天音に声をかけていく。

「きゃはは、ありがとうございます。天音、みなさんとお話しできて光栄です」

天音に声をかけた過去の受賞者のなかには、デビューしたものの全く売れていない、消えゆくだけの作家もいた。デビュー作を一冊出しただけで、受賞者という言葉にいつまでもしがみついている人。

そのような状態で授賞式に顔を見せにくる度胸のある人は数少ないけれど、蓋を開ければ、どこの賞も、そんな人が大半だったのかもしれない。

作家として生き残り、さらに専業として生きていける人は、全体で二百人程度だと言われているのだから。

しかし天音は、誰に対しても、神対応——と言って伝わるかわからないけれど、笑顔を絶やすことはなかった。みんなに、光栄という言葉を使っていた。

そしていよいよ、私の順番がやってきた。

「受賞、おめでとうございます。その白のドレス、とても似合っていますね。これからもお互い、小説を愛して、頑張りましょうね」

正真正銘の美しさを前にすると卑屈になってしまうのは、陰キャだった者の定めなのかもしれない。私は先輩らしくなんとか平静を装って言い、名刺を渡した。

「あ…………、ありがとうございます」

天音は少し戸惑ってから、ぎこちなく名刺を受け取り、明らかに作った笑顔でそう言うと、そそくさとその場を後にした。

私は茫然とした。だってその対応は、それまでの神対応とは、まるで違っていた。

どの作家にも、天音は自分の名刺を渡し返していたのに、私には渡さなかった。光栄という言葉も使わなかった。あからさまに私のときだけ、雑な対応をした。

「二次会、冴理先生も来ますよね？」

「あ……、二木《にき》先生すみません。私は締め切りがあるので帰ります」

そのあと、歴代受賞者が有志で行った天音を囲む懇親会の誘いを、私は断った。

授賞式からの帰り道、天音の態度を思い返しながら、二次会に行けないほどに、ショックを受けていることに気が付いた。

なぜならあの日、私は漠然と、天音は私にだけは特別な対応をとるものだと確信していた。

だって天音は——私の名を知っているはずだった。

なぜなら私も、天音の名を知っていたのだから。

私は家に帰ってすぐ、上京してから一度も開けていなかった、段ボールのなかを探った。

そこには四年前、茉莉からもらった『オペラ』が入っているはずだった。

——「しかもその子、まだ一年生なのに、すごくいい小説書くんですよ。悔しいくらい」

授賞式の最中、ずっと茉莉の言葉が頭のなかを渦巻いていた。

――「冴理先輩これ、今年の『オペラ』です。あの……白川天音って子の小説、すごいです。なんていうか……もう本当に、プロみたいで」

『オペラ』を手渡されたときのことも、鮮明に覚えている。それは過去に、自分も茉莉から言われたことのある言葉だった。

でも私は――あの時、読まなかった。

悔しかったんじゃない。

プロになり、かつて自分がいたはずの文芸部を見下していた。

プロみたいだなんて、そんなことがあるわけない。そんなふうにさえ思っていた。

もしも、あのときちゃんと天音の小説を読んでいたら――私はどうなっていたんでしょう。今となってはわからない。

とにかくあの日、私ははじめて白川天音の小説を読んだ。

高校一年生の天音が書いた小説を。

『リトルスター』という題の一万文字にも満たないその物語は、生と、恋にも似た友情をテーマにした、吉本ばななの『TUGUMI』を彷彿とさせる小説だった。

ページを捲《めく》るたび、指がふるえるようだった。

絶対的な、白川天音の才能を――全身で感じていた。

「プロみたい」という茉莉の言葉は、大袈裟などではなかった。

生きることと死にゆくことの生々しさを、両面から書ききったその短篇は、粗削りではあるものの、私が高校一年生のときならば絶対に書けなかった作品だった。いや、三年生であっても到底書けなかった。

そして受賞作の『フィガロの夢』を読んだあとの気持ちはもう、言葉にすることができない。

いままで、自分よりも優れた小説を書く同年代の作家など出てくるはずがないと、そんな驕《おご》りがあった。よりにもよってあんな美しい少女が、ここまで圧倒的な物語を紡ぐなんて、信じたくなかった。

その感情が嫉妬だと、私はまだ理解していなかった。

心臓が抉られるようだった。

眠れなかった。

朝になっても、眠気などやってくる気配もなかった。

途方もなく絶望していた。

だって、思い知らされてしまったのだから。

自分が特別な少女ではなかったことを――。

天音こそが、神に選ばれた存在だったのだということを。

東山冴理先生へ

冴理先生、こんにちは。

先生が本を刊行されるたびに筆をとっているので、この手紙でもう五通目になります。お返事をもらうことが叶わなくても、こうして冴理先生に手紙を書いている時間が、私にとって生きる喜びなので、どうか気にしないでくださいね。


新作の『特別な少女に向けて』の発売、おめでとうございます。

冴理先生の著書が目立つ場所に置かれていると、私はいつも幸せな気持ちになります。

勿論、発売日に本屋さんに駆け込んで、購入しました。（そして、読者の誰よりもはやく読了した自信があります）

素晴らしかった……。ラストシーンの美しさには、しばらく言葉を失ってしまいました。

失礼かもしれませんが、これまで出版された作品の中で最も冴理先生の息遣いを感じました。

でも少し、心配にもなりました。

デビュー作の『孤独じゃなくて孤高』以降、『憂鬱な放課後の中で眠る』『全ての終わりの姉妹』『三つの悪戯』――そのすべてにおいて、冴理先生はいつも、ご自身の心の奥底にあるものを吐き出すように書かれていると、私は感じています。

そしてその迫力が、生々しい痛みが――冴理先生の小説の最大の魅力であると。

けれど半面、冴理先生の人生が幸せであるのか、心配になってしまったのです。

私は冴理先生に幸福でいてほしいのです。

だって私は冴理先生の新作が読めるだけで、こんなにも幸福なのですから。

嗚呼。とても長くなってしまいました。

とにかくずっと、冴理先生の幸せだけを願っています。

雨より

追伸
冴理先生がツイッターでおすすめしていた、村田シャープ先生の小説『地雷』を読みました。
独特な世界観と文章で、男の人が女の人を愛する気持ちが、少しわかったような気がしました。
とてもいい本でした。なにより、先生が好きな小説を読めたのが、うれしかったです。

「『フィガロ』読んだか？」

「即。はっきり言って天才」

「アイドル顔負けの美少女で、京大に在学中」

「白川天音、もはや無敵だな」

天音のデビュー作が世に出て以降は、飲み会の席でも、天音の話で持ち切りだった。

天音が存在していなくても、いつもそこに天音がいるような気がした。

出身大学も一緒だということは、後になって知ったことだった。四回生になる頃には、ほぼ単位をとり終わっていて、週に一度のゼミに行く以外は、執筆に明け暮れていたから。

けれど天使のように美しい学生がいる――という噂は耳にしたことがあった。それが天音のことだということは、確認しなくてもわかった。

私はあの日から毎日のように、天音の小説を読み返していた。

『オペラ』に掲載されていたすべての作品を。

受賞作『フィガロの夢』を含む連作短篇集『フィガロ』に至っては、暗記してしまいそうなほどに。

天音は常に「生と死」をテーマにしていた。

私の小説が自身の痛みを吐き出すものなら、天音の小説にはその痛みを和らげてくれるような成分が綴られていた。読むだけで勇気づけられるような。あるいは、ただ生きていることを、許してくれるような。

そんなふうに、天音の生み出す、鋭くもやわらかな文章の中毒になっていたのは私だけではなかった。

世間でも、吉本ばななの再来といわんばかりに、空前の天音ブームが起こり、当然のごとく、天音の小説は飛ぶように売れていた。

「天音センセって、京都出身なんやろ。サリンと同じやな」

隣で、細いストローでちまちまとオレンジジュースを飲みながらシャープが言った。シャープはいつも酔っているように見えて、お酒が飲めなかった。かくいう私も、大人な味のお酒は飲めず、いつまでもカルアミルクかカシスオレンジの二択だった。

「しかも、同じ高校の後輩やねん」

私はいつしかシャープにタメ口を使えるようになっていた。というか、京都弁を。だから二人で話しているときは、まるで鴨川の川べりで、等間隔で座るカップルみたいな気分になった。

出会ってから三年が経っても、やっぱり私はシャープが好きだった。片思いであっても、とても、とても好きだった。静かに、永遠に、川が流れていくように。

「サリン、戦うのは、自分や」

きっと私の顔には、天音に対する嫉妬がそのまま表れていたのだと思う。それを察したのかはわからないけれど、シャープは言った。

天音の文章に浸るほどに、自己肯定感は地の底まで落ちていった。

自分が作品を生み出す意味さえ、失われそうだった。

決して、天音の登場で、私の作品が評価されなくなったわけではなかった。人気が落ちたわけでもない。依頼が途絶えたわけでも。

狂気を感じるほどに、熱意のこもったファンレターをくれる読者もいた。

「うん、わかってる」

けれど、比べずにはいられなかった。どうしたら比べないでいられたでしょうね。

同じ京大出身というだけでも比較対象になるのに、同じ賞で、同じ齢にデビューし、学年がかぶっていないとはいえ文芸部の後輩とくれば、気にならないわけがなかった。

ツイッターのフォロワーも、五年をかけて千五百人になった私に対し、天音は小説家のアカウントとしては異例の注目度で、開設から一年も経たずして一万人にのぼっている。

意味のないことでも、天音のツイートには、簡単に百件のいいねがついた。顔が映った写真があがれば、その比ではなかった。けれどアイドル的な容姿に頼っているのではなく、小説家としての圧倒的な実力がその人気を押し上げていた。

私は天音のツイートが流れてくるたびに、自分のちっぽけな美しさと、地味な活躍に嫌気が差した。この五年で築き上げた地位を、ごぼう抜きされた悔しさは、惨めすぎてどこにもぶつけることができなかった。

茉莉に話したいと何度も思ったけれど、無理だった。学生時代の天音の話を聞くことさえ、敵愾心を抱いていると思われたくなくて、憚《はばか》られた。茉莉だけには私に失望してほしくなかった。

「サリン、俺な、大阪帰るわ」

オレンジジュースが空になり、コップの底で氷の音が鳴り響いたあとだった。

私は耳を疑った。上京してから、月に一度の集まりで、シャープと話せるのだけがたのしみだったから、一瞬にして絶望に近いような気持ちになった。

「彼女と別れてん」

「……ふられたん?」

「そうや。いつまでも、こんな貧乏作家とは一緒におれんって。なんか子供作れる年齢制限みたいなもんが迫ってるらしい」

シャープは笑いながら言ったけれど、いまにも泣きだしそうな目をしていた。

「なあ、今日、これから二人で飲まへん? サリン、俺ん家《ち》来たことなかったやろ」

「うん」

シャープはお酒を飲めない。

もし飲めたとしても、それはセックスをする合図だとすぐにわかった。

けれど私は迷わずに頷いた。頷かないわけがなかった。

理由なんてなんでもよかった。愛されていなくても。私はずっと、シャープのその腕で一度だけでも抱かれてみたいと願っていたのだから。

でも処女だった私は、シャープのものが入ってきた瞬間、絶叫してしまった。

「処女なんやったら、先言えよ」

シャープは慌てて抜いてくれると、そう言って爆笑した。

「ごめん」

私は恥ずかしさに唇を噛みしめながら、布団のなかにもぐった。

出版してきた小説には性描写も書いているのに、処女なんて恥ずかしくて言えるわけがなかった。秋子からおすすめされて借りたBL小説などで、偏った知識を蓄積させていたせいで、こんなに痛みを伴うとは、予想もしていなかった。

「ほんで、続きしてええの？」

布団をめくり、シャープは言った。おそるおそる仰ぎ見ると、こんな状況になってもシャープのものは萎えていなかった。

「うん」

私はほっとして、また頷いた。


「なあ、サリンがいちばん好きな小説、教えてや」

無事にはじめてのセックスが終わったあと、シャープは煙草をふかしながら訊いた。

まるで映画の一場面みたいだと思いながら、私はその煙が消えていく様子を見ていた。

「ノルウェイの森」

迷うことなく、私は言った。

「……一緒、やな」

シャープはなんだか真面目に驚いたあと、いつものように笑うと、セックスの最中、一度もしてくれなかったキスをしてくれた。

その感触はセックスよりもずっと幸せで、とろけるようだった。大げさじゃなく、生まれてはじめて、生まれてきてよかったと思った。

「なあ、サリン、俺、もうあかんわ。小説も人生も」

この二年間、弱音を吐くシャープなんて見たことがなかった。

なんと言えばいいかわからなかった。

ただ、シャープは弱ったときに「なあ、」という枕詞《まくらことば》がつくのだと知れたことが、うれしかった。

もうお別れだというのに、私は今頃になって、シャープのことをぜんぶ知りたくなってしょうがなかった。

「頭、撫でて」

シャープは上目遣いになって言った。

いままで弱い男はきらいだとおもっていたけど、たった一瞬で好みにすらなっていた。

「サリンの爪、短いから痛ないわ。女っていうのはネイルやらなんやら、異常なほどに伸ばしよる」

「キーボード打つとき、長いと爪あたって気持ち悪いから」

「そうか。サリンはほんまに小説が好きなんやな」

「うん」

私は朝までシャープの頭を撫で続けた。

男の人と眠るのははじめてで、眠れなかったから。

自分よりも長いまつげ。なぞりたくなる鼻筋。漏れる寝息が愛しかった。

汚い茶色に染まったぱさぱさの髪を梳《と》かすたびに、私はシャープを愛しているのだと知った。

私が天音のことを、存在ごと忘れていたのはきっと、あの夜だけだった。

シャープが大阪に帰ってから、私は抜け殻のようになっていた。

連絡を取ることはできたのだろうけれど、顔を合わせる機会がないのなら、それは意味のないやりとりだと感じた。

それにシャープは私のことを、愛しているわけじゃない。ただ、失恋のさみしさを紛らわすために抱いたのだ。

最初からわかっていたのに、心が痛んで仕方がなかった。

もう一度、抱きしめてもらえるなら、なんだってしたかった。けれど、追いかける自信も度胸もなかった。一度抱いてもらっただけで彼女面をするなんて、迷惑な女認定されるに決まっていた。

それに、シャープは故郷でまた、すべてを包み込んでくれるような、年上の女性に恋をしているに違いなかった。あんなに淋しがり屋なひとは一人では生きていけない。きっと明日には、他の誰かに、あのぱさぱさの髪を撫でてもらっているのだろうと容易に想像がついた。

私は毎日、自分が生み出した悲しみの妄想のなかで、原稿と向き合わなければならなかった。

筆はなかなか進まなかった。

私はいつしか、シャープに褒められたくて小説を頑張っていたのかもしれなかった。

天音は私が一作を書きあぐねているあいだに、デビュー作を含めて三冊もの作品を刊行していた。

そのどれもに、私とはきっと、けた違いの重版がかかっていた。

劣等感に押しつぶされながらも、天音の新作がでると手にとらずにはいられなかった。

自分の原稿に価値を感じられなくなるほど打ちひしがれるのに、読まずにはいられなかった。

素直に、天音の作品が素晴らしかったから。

どの本も、私のいわゆる病んだ作品とは正反対の物語だった。

天音の小説を読むたび、物語には希望がなくてはいけないのだと痛感した。

——なぜ私は、絶望や痛みばかりを描いているのだろう。

今まで信じて書いてきたものが何なのか、空《むな》しいほど簡単に見失ってしまった。

それに「少女の痛み」というテーマは、もう少女ではなくなったいま、自分が書くにふさわしいとは思えなかった。二十六歳なんて、まだまだ少女だったというのにね。

そして――その依頼が来たのは、進まない原稿に、もがいていた最中だった。

「共著、ですか」

呼び出されたイタリアンレストランで、春キャベツのペペロンチーノをフォークに巻き付けながら、冷静を装って私は訊き返した。

「はい。白川天音先生と東山冴理先生。若き美人作家の共著、必ず面白くなると思います。というか売れますよ」

今思い返してみると、かなり下衆《げす》な誘い文句だった。それなのに、私の心は否応《いやおう》もなく躍った。

書店やタイムラインで天音の活躍を目にするたび、吐きそうになるほど絶望する一方で、天音の作品を最も読み込んでいたのは、間違いなく私だったのだから。

「共著といっても、本は別になります。一つの物語をそれぞれ違う人物の視点から描き、二冊読んで、深みを出す感じで」

「江國香織さんと辻仁成さんの『冷静と情熱のあいだ』みたいなイメージですね。それで、白川先生には依頼をしたのですか」

私は訊いた。今をときめく白川天音との共著の依頼を断る作家などいない。くすぶっている作家なら特に。

けれど、天音が私と共著を刊行する必要はどこにもなかった。つまり私が承諾したところで、天音に断られたらますます惨めになるのがオチだった。

それに授賞式の日の対応を気にしていないといったら、嘘になる。

私の名前を天音が知らないはずがなかった。同じ高校の文芸部出身かつ、同じく京大に進学。その上で、幻潮新人賞に応募してくるなんて、絶対に意識しているはずだった。

なのになぜ、私にだけあんなふうに――あからさまに愛想のない対応をしたのか。

この二年間、その理由がずっと気になっていた。

それにツイッターも、他の歴代受賞者はフォローしているというのに、私にだけはその気配がなかった。

だから私もフォローすることなく、一方的に天音のツイートを読んでいた。

天音が私に対して、ほんの少しでも敬意を払ってくれたなら――他の作家先生と同じような対応をしてくれたなら、堂々と天音を推すことさえできたかもしれないのに。

天音のことを考え出すといつも、私の心は悔しいほどにかき乱された。

「はい。冴理先生のお返事次第で、すぐにでも打ち合わせをしたいそうです。天音先生は来週、書店回りで上京の予定があるのですが、冴理先生のご予定はいかがでしょうか」

だから、編集者から伝えられた返答は、私にとって意外すぎるものだった。

けれど考えてみれば、先に私に打診するはずがなかった。私が先に承諾しても意味がないのだから。

――天音はどうしてこの話を請けたのだろう。

単純に面白そうだと感じたのか。売れそうだと思ったのか。それとも私に格の違いを見せつけようとしているのか。

そんなことを考えてしまうほど、私の心は疑心暗鬼に陥っていた。


けれど後日持たれた打ち合わせの場で、その気持ちは一時的に晴らされることになった。

編集者から遅れると連絡がはいり、先に着いていた私と天音は、池袋《いけぶくろ》の喫茶店でしばらくふたり、待つことになった。

「冴理先生、先になにか頼みましょう。何にしますか？」

天音は授賞式の対応が何かの間違いだったように、ニコニコと――神対応で私に接した。

「では……、フルーツパフェにします」

こんなとき、珈琲《コーヒー》や紅茶を注文するのがベターだとわかっていたけれど、メニューに書かれた、フルーツパフェという魅惑の文字を無視することはできなかった。ゴミ箱の中で暮らしていたとき、甘いものが食べられなかった反動なのかもしれない。

「きゃはは、冴理先生って、やっぱり甘いものが好きなんですね。私もパフェにしようっと」

天音は大げさに反応したあとで、パフェを二つ注文した。

店員は天使に出会ったような顔をしていた。

私も無意識に対面に座る天音の顔にじっと見入ってしまった。可愛いという言葉は、天音のためにあるのかもしれなかった。木屋町ではじめてヨーコさんと会ったときと同じ感覚になった。自分とは別の生命体のように思った。茶色の眼球は、高級なチョコレートを溶かしたように、甘ささえ予感させた。

「……天音の顔、なんか、ついてます？」

「あ、いや。なんだか、甘そうだなって」

男女が逆だったら、完全にセクハラだった。けれど、言葉にせずにはいられなかった。いい小説を読んだときに、よかったとつい声に出してしまうように、その可愛さは見つめているだけで胸にくるものがあった。

「……甘そうって、天音の顔が、ですか」

「あ、うん」

流石に気持ち悪い発言だったと後悔したときだった。

天音は頬を赤らめ、これまで見せたことのないような、顔をした。まるで恋をしている相手に見せるかのような表情にも見えた。

「それは、最高です」

ややあってから、天音は弾むような声で言うと、こう続けた。

「あ、そういえば——『オペラ』って、冴理先生がはじめたんですよね」

そのとき私は、天音の口から、その言葉を聞きたかったのだと気づいた。

母校が同じだといえども、話したこともない私と天音を繋ぐものは『オペラ』しかなかったから。

「はい」

だから前のめりに相槌を打っていた。

「天音先生が『オペラ』を全校生徒分刷った話、聞きました。賞を立ち上げたりとかも。優秀な後輩がいるなって、思ってたんですよ」

それから早口になって、茉莉から聞いていた情報を伝えると、私と天音が文芸部に存在したことが、ついに現実になっていった。

「それは別に、部費が余ってたからで、単なる思い付き、です。きゃはは」

「私には思い付きませんでした。それに『オペラ』に載っていた天音先生の小説、本当にすごかったです。天音先生が同級生だったら、私、小説家になってなかったかもしれません」

私はまた早口に言っていた。

自嘲し、面と向かって天音のことを崇めることで、自分の非力さを認めてしまいたかった。そのほうが楽になれると思ったから。

「どうしてそんなこと、言うんですか」

けれど天音は、怒りに満ちたような目で私を睨んだ。

「……冴理先生は、小説を愛してないんですか？」

そして、酷くまじめな顔をしてそう問いかけた。

「すいません、お待たせしました」

編集者が到着する。人身事故で電車が来なかったのだという、東京らしい言い訳を聞きながら、私の胸は異常なほどに波打っていた。いますぐに天音の質問に答えたかった。弁解したかった。これから共著を書くというのに、相応しくない冗談を放ってしまったと。

けれどすぐに、本格的な打ち合わせがはじまり、答える隙はなかった。

初日は顔合わせとテーマ決め程度かと思って、何も構想していなかった私に対して、天音は詳細なプロットを考えてきていた。

「これは一人の男性を好きになってしまった女同士の、希望と絶望と、友情の物語なんです」

それは、今までにない斬新なストーリーだった。思いもつかない展開や、魅力的なキャラクター設定を聞きながら、私はますます天音のその才能が、本物なのだということを思い知らされた。

その日のうちに仮タイトルも決まった。

それから一ヵ月あまりで、天音が『五月の薔薇《ばら》よ昼に咲け』の初稿を書き上げた。筆がはやいことは知っていたけれど、送られてきた原稿のクオリティは、想像以上だった。

天音の原稿と照らし合わせながら、私も三ヵ月ほどで『五月の薔薇よ夜に咲け』の初稿をあげた。

いつも半年はかかるのに、半分の期間で書き上げられたのは、送られてきた原稿に、失いかけていた感性を刺激されたからに違いなかった。

近頃、少女の頃のように、楽しんで書けなくなってきていることを、感じていた。けれど久々に、生きている文章が書けた気がした。……そう、まるで文芸部にいた頃のように。

私はそれまでに、短篇集も含めて、六冊の小説を上梓《じょうし》していた。二作目以降も全く売れないということはなかったけれど、一作目のようなヒットはなかった。

天音だけではなく、日々どんどんと新しい才能が生まれ、自分が古くなっていることを痛感していた。また世間に認められる作品を書かなければ、消えてしまうだろうことは、誰に通告されなくとも、知っていた。

だから私は、この作品に賭けていたのかもしれない。否、賭けていた。

この作品さえ世に出れば、天音と肩を並べられるのだと、信じていた。

しかし結果的に——、売り上げには悲しいほど差がでた。

端的にいうのなら、天音のほうには重版がかかり、私のほうにはかからなかった。

出版社も期待してくれて、どちらの本もかなり初版を刷ってくれていたから、重版がかからないことを、それほど悲しむ必要はなかったのかもしれない。

それに差がでることは、天音と私がツイッターで発信した新刊の告知に対するリツイートやいいねの数を見れば、最初からわかっていたことだった。

だけど心のどこかで私は——、天音の作品より、私の作品のほうが優れていると評価してもらえることを、期待していた。私の作品のほうが、売れることを。

そんなあり得ないことを、本気で。

私は、天音に勝ちたかった。

でも、よくも悪くも数字ほど信じられるものはない。ネット書店の星の数も、レビュー数も、ランキングの順位も、すべて『昼』が『夜』を上回っていた。

《話題の共著『五月の薔薇〜』「昼」と「夜」発売日にどちらも一気読みしましたが、圧倒的に「昼」の主人公を応援してしまいました。「夜」の主人公は陰気すぎて、共感でき

なかった……。どちらを読むか迷っている人には、「昼」をお勧めします。一冊でも充分この物語を堪能《たんのう》できます。》

エゴサーチをすると、ツイッターに寄せられた感想は、だいたいがそんな感じだった。

そして、私をさらなる地獄へ突き落したのは、書店回りの最中に聞こえてきた、編集者と天音の会話だった。

『夜』だけ売れないなんて最悪なんだけど」

「まあ、まだ発売して二週間だよ。こんなことなら、共著なんて書くんじゃなかった……」

「もう二週間だから」

「でも、『昼』は、ちゃんと売れてるから」

「それじゃ、共著の意味がないでしょ」

「才能の差があるんだから仕方ないよ」

「才能以前の問題だよ。ああ、とにかく本当に最悪すぎる！」

お手洗いから戻ってきたとき、私は嘘くさい笑顔を作り、聞いていないふりをするので精一杯だった。

私は——烙印《らくいん》を押された。天音から。編集者から。そして、読者から。

気を抜けば、倒れてしまいそうだった。

発売月が八月で、その日が猛暑だったことも相まっていたのかもしれない。タイトル通り、五月発売だったならもっと冷静でいられたのだろうかと、つまらないことを考えるしか心を落ち着ける方法がなかった。

それからも毎朝、目が覚めるたびに、何かが起こって私の本のほうが売れているかもしれないと、そんな期待を抱きながら、ランキングをチェックしたけれど、そんな奇跡は起こるはずもなかった。

天音。天音。天音。

四六時中、その名前が、心の中で飽和した。

あの美しすぎる顔が、独特な笑い声が、脳裏にちらついて離れなかった。

蒸し暑い部屋で、傷を抉られるだけのエゴサーチを繰り返しながら、自分はいらない存在なのだという考えにとりつかれた。

「書けなくなったら終わりや」

シャープに言われたことが、今頃胸に突き刺さった。その傷口からは、目を逸《そ》らしたくなるほどの膿がわき出している幻想が見えた。

「あああああああああ」

痛みを投げつけるように、文字を綴るためじゃなく、キーボードを叩いた。

耐えられなかった。

なぜなら私は、その日はじめて、締め切りを破ってしまった。

いままで一度も、締め切りを破ったことはなかった。

来月の文芸誌の猫特集に短篇を寄せる予定で、執筆のスケジュールにも余裕があった。

ただ——書けなかった。

一行も。

一文字も。

「プロ作家になるんやったら、締め切りは絶対や」

茉莉にあんなことを、ほざいていたというのに。

「才能の差があるんだから仕方ないよ」

いつまでも残っている編集者の言葉が鼓膜を掠《かす》め——

「才能以前の問題だよ」

そうきっぱり言い放った天音の声が重なる。

そうか……。

ここが私の——才能の果てなのだ。

私はあのとき、いやでもそう悟ってしまった。

《みなさん、メリークリスマスイブ！　最近はじめて、猫が登場する小説を書きました。飼ったことはないんですけど、控えめに言って、猫って、天使ですよねえ》

でも天音の才能には、果てなどないようだった。

予定調和のように、《天音先生も負けないいくらい天使です》などというリプライがついている。

これ以上、惨めな気持ちになったら、心が壊れてしまう。

死にたいとつぶやく代わりに、私は天音のアカウントをミュートした。共著の宣伝の際にようやく申請してきて、相互フォローになったけれど、こんな結末を迎えるのなら、無視されたままのほうがよかった。

私のトップ画面には風船が飛んでいた。二十八歳の誕生日を知らせる風船。

いつも手紙をくれる雨さんから、お祝いのDMが一件だけ届いていたが、今日ばかりは読む気にはなれなかった。

誰も祝ってくれなくていいから、シャープに会いたいと思った。

第三楽章

残酷に安息を

東山冴理先生へ

冴理先生、こんにちは。

最近、寒くなってきましたが、体調を崩されていませんか。

私は少し風邪気味です。


新作の『五月の薔薇よ夜に咲け』、とっても面白かったです。

比べてはいけないと思いますが、もう一つの作品よりも、ずっと深い物語だと感じました。

どうしてこんなに素晴らしい作品が書けるのでしょう。

叶うのなら一日中、冴理先生の隣で、執筆されている姿を見ていたいです。

それはきっと、この世の何よりも美しい光景なのでしょう。


とにかく私は冴理先生の味方です。

どんなに嫌なことがあった日も、しんどい日も、生きていれば冴理先生の新刊を読めるということが、私の希望なのです。

だからどうか、小説を紡ぐことを、やめないでくださいね。

冴理先生の物語は、この世に必要不可欠なのですから。
それではまた、お手紙を書きます。

雨より

28—33

二十八歳になった夜、私は財布とスマホだけを手に、大阪へ向かっていた。

言わなくてもわかるとは思うけれど、シャープに会うためだった。

『会いたい』と連絡すると、『会おう』と返してくれた。

道頓堀《どうとんぼり》のグリコの看板の前。

三年ぶりのその姿は、トレードマークのオレンジ色の帽子がなくなったこと以外は、ちっとも変わっていなかった。違和感がなかったといったら嘘になるが、そのときはもう、シャープがどんな格好であっても、どうでもよかった。

「サリン」

その言葉の響きに触れるだけで、体中が震えた。

恰好悪いほど、大量の涙が溢れた。

「シャープ」

私ははじめて、呼び捨てで、心の中で叫び続けていたその名前を呼んだ。

無意識だったのか、故意だったのか、もう覚えていない。

ただ、シャープに会えたことが、死ぬほどうれしかったことだけは、いまも全身で覚えている。

「たこやき食べるか」

涙を指の腹でぬぐってくれながら、シャープは訊いた。頷くと、慣れた庭を歩くように、店へ連れて行ってくれた。

「おっちゃん、十個入りで頼むわ」

常連のように、シャープが頼んだ。ソースのたこやきしかない店だった。

思い続けていた人が隣にいる。ふたりでお店に入るなんてデートみたいで、私は途端に緊張した。

「美味しい」

本当に美味しかった。東京でよく食べていた銀だこの油で揚がったカリカリの食感とは違う、ダシが染み込んだふにゃふにゃのたこやきは、嚙まなくても口の中で溶けていった。

「そうか、よかった」

シャープは、うれしそうに笑うだけで、一つも食べなかった。私がお腹を空《す》かせていることに気が付いたのかもしれない。昨日から何も食べていなかったから、知らず知らずのうちにがっついてしまっていた。

「今日、どうするんや。ホテル、とってるんか」

店を出てすぐに、シャープが訊いた。大阪の空は、すっかり暗い。

「……とってない」

「東京帰るんか」

「……もう新幹線ない」

「じゃあ、どうするんや」

そう問われる頃には、また涙目になっていた。

「……お願い。もう一回だけ……私のこと……」

それ以上は、言葉が詰まって、何も言えなくなった。わざわざ大阪までやってきて、シャープに会って、したいことなど一つしかなかった。もちろん、たこやきを食べることじゃない。

シャープだって、私から『会いたい』という四文字のメッセージを受け取ったときから、感じ取っていたはずだった。

「今度は、叫ぶなよ」

シャープは少し迷ってから、そう言って笑うと、私のことを抱きしめてくれた。求めていたよりも強く、信じられないほど強く。

私たちは、心斎橋の近くの、趣味の悪いラブホテルに泊まった。すべてがピンク色で統一されていて、その下品さは逆に面白かった。

シャープに抱かれているあいだ　私の頭は、一文字も進まない原稿のように真っ白だった。小説のことも、天音のことも、何もかもを忘れられた気がした。

私はいままで、何にしがみついていたんだろう。なんて狭く暗い世界で生きていたんだろう。

本気でもう何もいらないと思った。

それから私は家賃が高いばかりの東京の部屋を引き払い、シャープが住むなにわ橋からほど近い、天満橋《てんまばし》へ引っ越した。もう東京に未練はなかった。というより、シャープがいなくなってからずっと、抜け出したいと思っていたのかもしれない。

シャープは週に何度か、パチンコ屋のバイト終わりに、たこやきを買って、部屋に遊びにきてくれた。

そのたびに私たちは、小説から逃げるように愛し合った。

穴の奥を突かれながら、私の脳みそからは文字がこぼれ落ちていった。

愛を知るたびに、書きたかったことなど、すべて忘れてしまった。

「冴理はもう小説、書かへんのか」

セックスが終わった後、ふと思い出したかのように、嬰《えい》は偶《たま》に、そう訊いた。

嬰というのがシャープの本名だった。

シャープは日本語で、嬰記号と呼ばれる。

「音楽にかかわる人になってほしいって、こんなしゃれた名前つけてもろたけど、俺、音楽の才能だけは、ぜんぜんなかったわ」と嬰は自分に呆れながら説明してくれた。

嬰が十七歳のときに事故で亡くなった母親は、ピアノ奏者だった。家にはクラシック音楽が流れていて、「おかんの演奏するモーツァルトが好きやったんや」と嬰は教えてくれた。

「私は嬰のお嫁さんになるから」

嬰の質問に対し、私は遠慮なくそう答えた。

描いている未来を、洗脳したかったのかもしれない。

「そらええな」

だけど嬰は決まって苦笑いを浮かべた。

理由ははっきりしていた。嬰は、大阪に帰ってすぐにできたずいぶんと歳上の彼女と結婚していたから。

いけないと理解しながらも、私は一度だけスマホを盗み見た。相手は、どこにでもいるような平凡以下の――年増の女だった。さみしさを埋めるためだけに、あるいは、ふられた相手に傷を負わせるために結婚したのだと、村田シャープの小説を読み込んでいた私にはわかった。

だから説明するまでもなく、私たちの関係は不倫だった。

軽蔑するわよね。

でも、あなたにはその権利はないかもしれない。

——なんて……ちょっと口が過ぎたわね。気にしないで。

とにかくその当時の私には、物事の良し悪《よあ》しなど、つかなかった。生まれてはじめて、こんなにも誰かのことを、愛したのだから。

「こんなに誰かのこと、愛しくおもったことってないかもしれんわ」

その言葉の通りならば、嬰も私のことを、今までの誰よりも愛してくれているはずだった。

そう。ふたりの間には、本物の愛が流れている。

だから私は嬰が奥さんと、父のように、別れてくれるものだと信じてやまなかった。

それに奥さんよりも、私のほうが先に嬰に出会ったのだから。その期待をすることに罪悪感すらなかった。

「俺は、小説を書いている冴理が好きやで」

雨の夜、激しいキスの息継ぎの途中で、爪が伸びた私の指を握り、嬰は言った。

けれど私はそれからも、小説を書こうとはしなかった。

だってもう、どれだけ命を削って書いても、惨めになるばかりで、幸福にはなれないことを知っていた。

私は逃げたかった。

小説家でなくなれば、こんなに苦しむこともない。

天音のことを考えなくてもいい。

天音という名前に過剰に反応する必要も。ミュートしたツイートをわざわざ見に行き、天音の現状に落ち込む必要も、天音の小説を書店員さんが絶賛するたび、死にたくなることもない。

もしも——天音が、文芸部の後輩ではなかったら。

あれほどまでに美しくなかったら。

共著など書かなければ。

たかが新作の告知のツイートにさえ、これほど心臓を潰されることはなかったのだろうか。

あの一年間、自問自答し続けたけれど、私にはわからなかった。

比べること自体が、愚かなことだともわかっていた。

けれど、比べずにはいられなかった。

だって天音さえいなければ——、私は今頃もっと、潑剌と小説を書いていたはずだった。

一年も筆を折ることなどなかった。

私はもはや天音という存在が、憎かった。
……いいえ、違った。
本当はずっと。
授賞式で会ったそのときから。
たとえ、どんな神対応をされていたとしても。
天音こそが、神に愛された存在だったと知ってしまったときから。

29 — 33

気が付けば私は、二十九歳になっていた。二十九という数字は、なんだか恐ろしかった。少女から果てしなく遠い場所までやってきてしまったような、そんな気がした。

大阪には朝から雪が降っていた。その年はじめての雪だった。私は少女のようにわくわくしながら、部屋の中から、街が銀世界に染まっていく様子を眺めていた。

「俺、離婚することになった」

そして、とうとうその話を切り出されたのは、その雪が止《や》んだときだった。

「いつ？」

私は嬰の顔をふりかえり、わざとらしいくらい声を弾ませた。

いますぐ窓から飛び降りて、雪のなかへダイブしたくなるほど、うれしい気持ちだった。一歩前さえも見えないほど深い闇の中に、ようやく希望の光が差し込んだのだから。

「何が？」

「違うんや」

あのときの私はまだ、可哀そうなほど、その光が希望とは正反対のものだと、知らなかった。

「サリン、ごめん。俺、こんなに誰かのことを、愛したことってないんや」

だったら、あのときにくれた言葉は何だったのだろう。「愛しい」と「愛してる」の差を考えたくなかった。

「知ってるよ」

精一杯笑顔を浮かべながら、冴理と呼んでくれていたのに、突如としてサリンに逆戻りしたことに、私は傷ついていた。でも嬰のなかでは、ずっとそうだったのかもしれない。私が本名で呼びたいと言ったから、あわせてくれていただけなのかもしれない。

「ごめん、違うんや」

嬰は残酷なほどに、真剣な表情で私を見つめていた。

「だから、何が」

涙を心の中でせき止めながら、私は必死で、気が付いていないふりをしていた。

「どうしようも、ないんや」

その言葉の奥に、誰がいるのか。

絶対に、わかりたくなかった。

でも、あなたならもう――、わかるでしょう？

東山冴理先生

こんにちは。

冴理先生、元気ですか。

共著を刊行されて以降、短篇さえ発表されなくなって、二年が経ちました。

ツイッターも、半年前、大阪に引っ越したとつぶやかれてから、更新がありません。


……もしかしたら、共著の影響なのでしょうか。

それしか考えられないのです。

恐れながら、目に入ったネットの評価は散々なものだったかもしれません。

けれど私にはわかります。

冴理先生の作品のほうが、現実を描いているということ。

もう一つの作品は、物事の表面をなぞって、きれいごとを並べているだけだということを。

世間はまるでわかっていないのです。

冴理先生の素晴らしさを、ただの暗さだと認識しているのです。

闇の中にこそ本物の、救いの光があることを、わかっていないのです。

もう一つの作品には、光の部分しか書かれていません。
そんなのは、本物の光ではないのです。

誰がなんといおうと、私は冴理先生の小説を愛しています。
新作が発売されることを、ずっと、ずっと、待っています。
急《せ》かしたような手紙になっていたらごめんなさい。
きっと執筆中なのだと思います。
お体に気を付けて、がんばってください。
冴理先生のことが大好きです。

雨より

30―33

三十歳を迎えた私は、再びゴミ箱の中で夢を見ていた。

嬰と結婚し、子供が生まれ、小説も売れている。そんな夢を。

――その夢は、ぜんぶ天音が叶えた夢だというのに。

あれから嬰と天音は、生き急ぐように結婚した。

すんなりと離婚が成立したのは、天音がパチンコ屋で働く嬰の代わりに、高額な慰謝料を支払ったのだと推測できた。

大阪に来て一年が過ぎた頃から、嬰が部屋に来る頻度は明らかに減っていた。抱かれることも月に一度あればいいほうで、夏を過ぎてからは、私に触れることはなく、買ってきてくれたたこやきを食べながら、少し喋《しゃべ》ったら帰ることが大半だった。

「小説を書いてるんや。また、頑張りたいと思えたから」

頻繁に会えなくなった理由に、嬰はそう言っていた。

本当は、京都へ行っていたのだとわかった。――天音に会いに。天音を抱きしめに。

でも半分は、嘘ではなかった。

嬰――村田シャープは、五年ぶりに文芸誌に短編を発表していたから。

筆を折る前よりも、洗練された文章で書かれた小説だった。けれど、村田シャープの小説の醍醐味《だいごみ》である、痛いほどのセンチメンタルさは失われていた。陳腐といっても過言ではない希望の物語だった。天音の作品に感化されたのだと、すぐにわかった。天音の小説を読んだあとは、自分もそうなってしまう傾向があったから。

もう嬰が来ることのなくなった私の部屋は、これまでになく荒れていた。どこに行く気にも、食べる気にならず、作る気にもならず、カップ麺の容器が机の上に積み重なっていった。

自分にもやはりあの血が巡っているのだと思うと、笑いすらこみあげてきた。母は父と離婚したとき、何歳だったのだろう。少女だった自分が、部屋の隅っこで、大人になった私を恐ろしそうに見据えている幻想が見えた。

――死のう。

春に近づくにつれ、私は自然とそう考えるようになっていた。

天音と嬰が結ばれた地獄としか言いようのない世界で生きていく自信はなかった。

しかし、当たり前なのかもしれないけれど、なかなか行動には移せなかった。作品に書くのではない、現実の死というのは、想像以上に恐ろしかった。

《遅ればせながら報告です。私事ですが、元旦に作家の村田シャープさんと結婚しました。

現在、第一子を妊娠中です。各版元様、スケジュールが押してしまうこと、お許しください。ファンの皆様、どうか暖かく見守ってくださいますように》

けれど、そのツイートを発見した瞬間、わずかに残っていた私の健全な思考は破裂した。これ以上生きていけない。一秒も生きていたくない。心からそう思った。

翌日私は、マリメッコの小さなリュックに必要最低限を放り込み、適当なスウェットに薄手のコートを羽織って、関西国際空港へ向かった。

そして、八時間後にフライト予定のチケットを取った。いつか取材へ行くことがあるかもしれないと取っておいたパスポートが、無駄にならずに済んでよかったなんて、死ぬ前だというのに、思った。

空港で飛行機を待っているあいだ、私はただ時間に身を任せていた。

出国検査を済ませたあとは何もすることがなかったけれど、家で引きこもっているときとは違い、いくらか精神が安定するのを感じた。多少は意味のある人生だったのかもしれないとすら思えた。

けれど、引き返そうとは思わなかった。生きたいとも。

どうせなら、あんなゴミ箱のなかじゃなく、きれいな場所で死にたい。それだけを思っていた。

オーストリアを選んだのは、嬰が高校生のとき、一度だけ海外へ行ったことがあると話していたことを、覚えていたからだった。

ウィーン。

ザルツブルク。

モーツァルトを愛していた嬰の母が、彼が生まれ、音楽を残したこの地を選んだのだろうことは、発《た》つ前からわかっていた。

貯金を残して死ぬのは悔しかったから、五つ星ホテルばかりを予約した。

当然だけれど、どんなにいい部屋に泊まっても虚《むな》しさが募るばかりだった。

私はまだ、嬰のことを愛していた。出会ったときからずっと。嬰以外を好きになったこともなかった。嬰以外を好きになることもないだろうと、感じていた。

あの腕で、あの指で、あの声で、天音に愛を伝えているのだと思うと、狂いそうだった。

——神はなぜ、私にばかり試練を与えるのだろう。

どうして私が一人で、死ななければいけないのだろう。

こんな、はじめて辿り着いた地で……。

「エリ！」

後ろから肩を叩かれたのは、ホーフブルク宮殿のモーツァルトの像を、すべてに絶望しながら見上げているときだった。

「なあ、エリ、やろ？」

記憶の片隅を探りながら、私は振り返った。

「………ヨーコさん？」

名前も忘れかけていた。木屋町のキャバクラで働いていたのはあまりにも遠い過去で、自分がエリだったということを思い出すのに、時間がかかった。

「そっか、あたしヨーコって名前やったな。てか、こんなところで会うなんて、マジうけるわ」

ヨーコさんにとっても、その名前は遠いものだったらしい。相変わらず美しいスタイルだが、キャバ嬢時代の面影はなかった。ナチュラルなメイクに、動きやすいスポーティーな服装、髪は一つに結んである。

「ほんとうに、びっくりですね……」

いま思い返しても、神様が巡り合わせてくれたとしか思えない、奇跡といってもいい確率だった。

「エリ、もしかして海外、はじめて？」

私の出《い》で立《た》ちを観察しながら、ヨーコさんは言った。

反対に、その慣れた装いからは、たくさんの国を旅してきたのだろうと想像できた。

「はい。ヨーコさんは、夢、叶ったんですね」

あたしは世界中を旅するんが夢やねん――そう、家が燃えた夜に聞いたことだけは、鮮明に覚えていた。

「そうや。あたしはもう二十五か国め。すごいやろ。エリはいまなにしてるん」

得意げな表情で答えたあと、ヨーコさんは訊いた。

「小説家です」

息を吐くように、私は言った。

だけどもう二年間も小説を刊行していない。文芸誌などに短篇すら発表していない。それでも小説家と言えるのか。わからなかったけれど、それ以外に肩書はなかった。

「マジか！　じゃあエリも、夢叶ったんや。あたしら、すごいな」

ヨーコさんが無邪気に笑う。

「夢……叶ったんですかね？」

「小説家になるん、夢やったんやろ？」

私は頷いた。夢であることは間違いなかった。

「どうしたん、エリ。暗い顔して」

「なんか……、いつまでたっても、小説家って言えへんような気がして。自分よりもすごい才能のある人はたくさんいて、私なんかが書く意味あるんかなって思ったり」

誰かに話すことで、自分の気持ちにはじめて気が付くことがある。あのとき、私はヨーコさんに告げることで、書けなくなった理由が明確になった気がした。

正直、小説家になってからも、私はいつまでも夢が叶った気がしなかった。

夢が叶った気がするのは、小説家だと感じられるのは、書き上げた作品が本になり、書店に並んだ一瞬だけだった。それだって年月が経つにつれ、薄れてきていた。

「すごい人って誰？」

――天音。

もっと売れている作家はいる。それこそ村上春樹の名は、小説に興味がない人でも知っている。でも私の頭にはただ、その名前だけが浮かんだ。

「なあエリ、いま顔が浮かんだ人は、きっとエリのライバルや」

「え？」

「自分と同じレベルの人にしか、そういう気持ちは抱かへん。エリはその人と、同じ土俵に立ってるんよ」

「でも、天……その子は私よりずっと売れてて、才能があります」

「才能があるって、感じるのも、才能やとあたしは思うけどな」

才能があると感じるのが、才能――？

私にはその意味が、さっぱりわからなかった。真理をつかれていたのに、ヨーコさんはなんて能天気なのだろうと、そんなことさえ思っていた。この業界のことがわかっていないのだと。

「そや。ペンネーム教えて。エリの小説、買うわ」

「……東山冴理」

悪い意味ではなく、人生を前向きに生きているヨーコさんに、きっと私の小説の良さはわからないだろう。励ましてもらったけれど、才能がないと思われるのが落ちだ。そう予感しながら、私は答えた。

「サリ。それって本名？」

「はい」

「じゃあ、私、ニアピンやん。サリとエリ」

サリとエリ。それはこの旅の最中に知った、悲劇の運命を辿った音楽家の名前に似ていた。

「ヨーコさんの名前はなんですか」

「あたしはええよ。なんかヨーコって久々に呼ばれてうれしいし、そのままで呼んで」

ヨーコさんは、この名前な、ジョン・レノンの奥さんからとってんと、つけたして笑った。

「じゃあ、ヨーコさんは、いつまで旅を続けるんですか」

私の旅はもうそろそろ、終わる。すなわち人生が終わる。終わってしまう。何も成しえないまま。

「死ぬまで」

そう言ってヨーコさんは、白い歯を見せた。

化粧をしていなくても、やはりヨーコさんはきれいだった。

すっぴんで髪もぱさぱさで、もう三日間、服も下着も替えていない私は、死ぬ前からまるで亡霊のようだった。

「なあサリ、この近くに美味しいスイーツあんねん、行こうや。一人なんやろ」

「え」

「心配しんでも奢《おご》ったるから」

それからヨーコさんは私の腕をつかむと、半ば強引に、近くのカフェに私を連れて行った。

——きっとヨーコさんは、私が死のうとしていることに気が付いていた。

はじめての海外へ、こんなにもだらしない装いで、バックパッカーという言葉では説明がつかない小さなリュックひとつで旅行にくるのはあまりにも不自然だと、自分でもわかっていた。

「な、美味しいやろ?」

「とっても」

カイザーシュマーレンという、ウィーン名物のきつね色に焼いた一口大のパンケーキを食べながら、生き延びたことに、手がふるえるほどに、私はほっとしていた。

異国の地で、一人で死んでしまわないでいいことに。

「サリ、明日もスイーツ巡りいこや。ヴィーナスの乳首ってお菓子、あんたに食べさせたい」

「なんですか、その卑猥《ひわい》なお菓子」

「何いうてんねん。オーストリア伝統銘菓や。モーツァルトも食べてたんやで」

私は誘われるがままにヨーコさんと、旅をつづけた。

死ぬことを後回しにして、ヴィーナスの乳首を食べた。

形はまさしく乳房のようで、やわらかいマロンペーストがホワイトチョコでコーティングしてあり、天辺《てっぺん》には乳首のようなピンク色の突起物が飾られていた。

突起物を齧《かじ》ると、口のなかにラム酒の香りがふわりと広がった。


ヨーコさんと過ごした時間は、本当に素晴らしかった。命を絶ちに行ったというのに、結果的に、走馬灯のラストシーンに相応しい旅になった。

けれど私はやはり、生き続けることは無理だと感じていた。

SNSや書店で天音の名前を見かけるだけで、嬰との記憶を瞼《まぶた》の裏でなぞるだけで、死にたいほどの絶望感に包まれた。

だから、とっていなかった帰国のチケットを関西国際空港着にしたのは、部屋に戻るためではなく、京都で死ぬためだった。太宰治が玉川で自害したなら、私は鴨川で死んでやろうと思った。大好きな見慣れた場所でなら、今度こそ死ねる、きっとこわくないと思った。


「冴理先輩！」

京都駅の中央改札をでると、三人の声が重なった。

けれど私はどうしても、死ぬ前に、会いたかった。舞衣と秋子と――茉莉に。

「ほんま、久々に会えてうれしいです」

前髪は切りそろえられているが、もう姫カットではない、大正レトロの影はなくなった、カジュアルな服装をした舞衣が言う。

「冴理先輩、雲の上の存在になってしもたから、二度と会えへんと思ってたんですよ」

秋子は相変わらず、きりっとした一重で、すらりとしていた。けれど男っぽさはなく、宝塚の男役が引退したあとのような美人になっていた。

「冴理先輩、元気にしてましたか」

――茉莉。

顔を見るだけで、胸が熱くなったのは、茉莉にいちばん会いたかったからだろう。もう、あの頃のように、問答無用で飛びついたりはしてこない。その佇まいは完全に落ち着いた大人の女性だった。

茉莉の家を出てから、なんとなく、顔を合わせられないでいた。この十年間、茉莉が私に失望していないか、心のどこかで気になっていた。いま、小説を書いていないことも、茉莉ならば把握しているはずだった。

「うん。みんなは、元気にしてた？」

けれどそんな心配は、杞憂《きゆう》だったのかもしれない。

変わらない三人の、私への尊敬の眼差し。

みんなの顔を見ないまま死なないでよかったと、心から思った。


「小説は書いてるん？」

京都駅構内にある吹き抜けのミスドに移動して、間もないうちにその話題になった。私が後輩たちに訊ねたいことは、はじめからそれだけだったのかもしれない。

「うちはウェブで書いてます。たまに同人誌作って、文学フリマとかで、売ってるんです。結構たのしいですよ。純粋に小説が好きな人って、こんなにいっぱいいるんやあって、会場行くたび感動するんです。今は仕事も楽しいし、もう小説は趣味で満足してます。というか、プロになるん無理やっただけなんですけど」

ダブルチョコレートドーナツのチョコを口元につけたまま、秋子が答えた。

「そっかあ。文学フリマは知り合いの作家さんが参加したはるの見て、楽しそうやなって思ってたんよ」

「マジですか。もしも冴理先輩が出店したら、ブースの前、長蛇の列になりますよ」

「何言ってんの、私なんて全然人気ないから」

「いやいや、冴理先輩の小説読んでる人、いっぱいいますよ。うち、同人仲間にいつも自慢してるんですよ。こんなすごい人が先輩なんやって」

いくら学生時代に慕ってくれていたとしても、私のことなんて忘れているんじゃないかと、心のどこかで思っていた。けれど、忘れていたのは、私のほうだったのかもしれない。

「……ありがとう、秋子」

心に湧き上がるものを抑えながら、私は舞衣のほうを向いた。

「舞衣は？」

「あたしは高校卒業してから、集都社の女性限定の文学賞だけは、八年くらい応募し続けてたんですけど、三年目に一回だけ一次通過しただけで、そのあとは箸にも棒にもかからんかったです。情けないんですけど、正直言うといまは、小説より漫画読んでたり。スマホで気軽に読めるし、もうすぐ結婚するから、忙しいのもあって」

――結婚。めでたいはずのその言葉が、胸に突き刺さる。

「すごい。結婚か、おめでとう」

嫌でも天音の顔が浮かんでしまい、うまく笑えたかわからなかった。

「なんと、この時代に見合い結婚なんですよ、舞衣」

「何か悪い？　秋子の彼氏なんてマッチングアプリやん」

「うちは流行の最先端に乗ってるからな」

「流行とかダサ」

「いや、どう考えても見合いのがダサいやろ」

相変わらずのやりとりに、私は安堵しながら、茉莉のほうを向いた。

「茉莉は」

「はい。私は大学を卒業してから、一般企業で働いてます。小説は死ぬほど読んでますけど、もう書いてません。あと恋人は……いません」

「茉莉、まだ彼氏おらんのかいな」

「あんたもそのマッチング男が初彼氏やろ」

「マッチング男て失礼やな。見合い旦那のくせに」

「豊川悦司似のイケメンなんや文句あるんか」

「好みが昭和やねん。時代は菅田将暉なんじゃ」

「菅田将暉もどっちかいうたら昭和顔やろがい。ほんであんたの彼氏、ぜんぜん菅田将暉ちゃうし、どっちかいうたらアンジャッシュの大島に似とるわ」

「大島ちゃう、児嶋や」

「似てることは認めるんや」

また始まったふたりの会話を聞きながら、気が付けば、私は声を出して笑っていた。

そんなふうに笑ったのなんて、何年振りだったかわからない。

やり取りが特別面白かったわけじゃなかった。ただこうして、みんなで話じていることが、心の底から楽しかったのだと思う。

「ねえ、これ見て」

私は手帳に挟んでいる写真を取り出した。

「あ、懐かし！　卒業式んとき、秋子が勝手に撮ったやつや」

「そやったっけ？　てか茉莉めっちゃ泣いてるやん」

「もしかして秋子、いま気づいたんちゃうやろな」

「うん。そういえば写ルンです持ってきてたなあと思って、撮っただけやったから」

「あんたほんま腹立つくらいなんも考えてへんで生きてんな」

舞衣のするどいつっこみに笑いながらも、茉莉が恥ずかしそうにこちらを向く。

「みんな大人になったたね」

私は言った。

その日私は、みんなの話を聞きながら、大人になるというのは、果てを知ることなのだと、そう思った。

私も含めて、みんなちゃんと自分の果てを知っていた。

そして、それを受け入れながら生きていた。


「あの、冴理先輩」

「どうしたん、舞衣」

「もしよかったらなんですけど……結婚式来てくれますか。来年の予定なんです。ほんまはずっと呼びたいと思ってたんですけど、執筆忙しいかなって……なかなか連絡できなくて」

別れ際、少し緊張しながら舞衣が言った。

その様子から、本当に遠慮してくれていたのだろうことがわかった。

「もちろんや。締め切り前でも行くに決まってるやろ」

精一杯の笑顔で、私は舞衣の頭を撫でた。

締め切りなんてなければ、これから死ぬ予定だとは、言えなかった。

三人と別れ、私は地下鉄で三条京阪に向かった。

いつの間にか、外は暗くなりはじめていた。

駅から地上へ出て、橋を渡らずに三条大橋脇の階段を下り、橋の下で眠っているホームレスの横を通り過ぎ、岸辺に座った。

水面が夕陽に照らされていて、きれいだった。

《白川天音先生、結婚おめでとうございます。村田先生が相手なのは意外だったけど、美男美女でお似合い。これから二人で小説頑張ってほしい》

《白川天音先生結婚か。めでたい。デビュー作の『フィガロ』は神》

《『アイネクライネ』白川天音著　読了。主人公の音羽に感情移入して、涙が止まらなかった。生と死の揺らぎを、繊細な描写で書ききっていた。いわずもがな傑作》

私は鴨川の音をBGMに、最後の一撃を食らうためにツイッターで『白川天音』のパブサーチをしてから『東山冴理』をエゴサーチした。

タイムラインに毎日のように感想があがる天音に比べ、最も売れたデビュー作の感想が一週間前に一件あっただけで、私の新作を待ち望んでいる声は見当たらなかった。

明日から私がいなくなることを、あの過剰なほど熱心に手紙を送ってくれた雨さんだけは、悲しんでくれるだろうか。

そんなことを考えながら、汚れたスニーカーのまま岸辺を下り、川へ降りた。

水は思ったよりも、冷たかった。

考えてみれば私は、いままで鴨川の水に、触れたことはなかった。

大きく息を吸って、空を仰ぎ見た。

三条大橋から見上げるひろい空が好きだった。果てしない宇宙のような空が。

――どうか、息絶えるまでは誰にも見つかりませんように。

そう祈ったあと、目をつむり、音を立てずに潜った。

はじめて小説を書き上げた日に、制服姿のまま、鴨川沿いを走ったことを思い出した。

家が燃えた日のことを。

受賞の電話がかかってきたクリスマスイブを。

授賞式で緊張しながら挨拶をしたことを。

デビュー作が話題になったことを。

上京してきた夕暮れの新幹線のホームを。

オレンジ色のハットをかぶった要に、出会った夜のことを。

サリンと呼ばれたことを。

抱かれた夜のことを。

人生のハイライトを再生しながら、いままで嫌なことは一つもなかったような気がした。

――私はこんなふうに死ぬために生まれてきたんだろうか。

どうして、死のうと思ったのだろう。
「小説を愛していないんですか？」
……そうだ。
天音。
天音のせいだ。
ぜんぶ、ぜんぶ、天音の。
「う゛」
水が鼻の中へ入り込んでくる。
鴨川は思っているより流れがはやく、いつしか私は溺れていた。
——もっと小説を、書きたかった。
世の中が、騒ぎ出すような、最高の小説を。
最後になってそう思う。
でももう、叶うことはない。
母は焼死し、私は溺死する。自ら。なんて滑稽な親子だろう。
死ぬ前に母のこと思い出すのは、その中から生まれてきたからなのだろうか。
必死にもがきながらも、私は信じられないほど冷静に、走馬灯を見ていた。
——冴理先輩！

まだ若い、ほんの十六歳だった頃の制服姿の茉莉が私に抱き着く。

懐かしい感触。

何度もつかまれたその手の感触を、忘れることはない。

――うわああああああ
卒業式の日、号泣していた茉莉の声がする。

耳のすぐ傍《そば》で。

「冴理先輩、死んだらあかん！」

――そう叫ぶ声が。

呑み込んだ水を吐くと同時に、眼球に夜の街の光が差し込んだ。

私の身体は、その懐かしい感触に抱きかかえられていた。

仰ぎ見ると、ずぶ濡《ぬ》れになった茉莉が、しゃくりあげながら泣いている。

「……冴理先輩、死んだらダメです」

もしかしたらここは、天国だろうか。

私は、茉莉の涙を拭おうと頬に手を伸ばした。

「冴理先輩……私、わかってます」

顔面に、ぽたぽたと涙が降ってくる。

「……何、を？」

口をひらくと、茉莉の涙が口の中に伝った。

塩辛くて、生きている味がした。

「そんなん……、ぜんぶです。冴理先輩……、私の憧れは、いつまでも冴理先輩だけです」

冷えた私の身体をぎゅっと抱きしめて、茉莉は言った。

「……意味、わからんよ」

「嘘です。わかってるはずです。冴理先輩は、わかってるはずです」

知られたくなかった。

茉莉だけには。

でも本当は、知ってほしかったのかもしれない。

なりふり構わず、泣きつきたかったのかもしれない。

「……わからん」

だけどまだ、自分のなかにある憎悪よりもひどい嫉妬心を認められなかった。

「ぜんぶ、天音ちゃんに負けたままでいいんですか」

けれどそう言われ、一瞬で怒りがこみ上げた。

私の手は、茉莉の頬を打っていた。

といっても、力が入らず、蚊を殺すこともできないほどの弱い力だった。

「そうです……私でよかったら、気が済むまで殴ってください」

「……茉莉、ごめん……」

「いいんです。私が冴理先輩の嫌なこと言ったから」

「茉莉……私、先輩やのに、天音に、負けっぱなしで、ごめん……」

それはきっと、不甲斐ない自分を慰めるために、放った言葉だった。

「違います。冴理先輩は、負けてないです」

「……どっち、やの」

「だって天音ちゃんの小説は、冴理先輩から生まれたものだから」

「……なに、それ」

「私、見てたから……。部室で、天音ちゃんが、『オペラ』に載っていた冴理先輩の小説を書き写しているところ。一度や二度じゃない。天音ちゃんは、冴理先輩の小説で勉強していた。だから天音ちゃんの小説は、冴理先輩から生まれたものなんです」

——私の小説で、天音が。

信じられなかった。

信じられるわけがなかった。

だって私と天音の小説は、まるでタイプが違うのだから。

文体だって違う。

すべてが正反対ともいえるほどに——天音が光を捉えているなら、私は闇を掘っている。

「希望と絶望はセットです」

私の心を見透かしたように茉莉は言った。

「冴理先輩……。さっきは言えなかったんですけど、私、転職して、この春から編集者になったんです。角春《かどはる》出版です」

角春出版——最大手といってもいい出版社だった。

「だから冴理先輩、いいえ——冴理先生、私と一緒に小説を作りましょう。天音ちゃんに勝つんです。冴理先輩の思いを、すべてぶつけるんです。絶対にいいものができる。私、確信してます。だって私は——いちばんの、冴理先生のファンだから」

当然のごとく、鴨川の岸には、オーディエンスができていた。けれど茉莉はなりふり構わずに私を抱きしめて言った。

「……茉莉、でも……私、もう、書けへんよ……」

「なんで、ですか。天音ちゃんがこわいんですか」

茉莉は攻撃的に言った。けれどそれは私を傷つけるためではなく、自分の人生をかけてでも、私を支えたいという想《おも》いから発せられたことが、いまならよくわかる。

「そうや……こわい。死ぬほどこわい。天音の名前を見るだけで、動悸《どうき》が走る。天音が消えたらいいのにって——毎日思ってる……。だって、ぜんぶ、私の愛した………」

そこまで言って、ようやく涙が溢れだした。

嬰に、天音を好きになったと告げられた日から、ずっと、泣いていなかったことに気が付いた。

我慢していたんじゃない。涙もでなかった。そのくらい、絶望していた。

「ぜんぶ、わかってます」

今度は私の涙を拭ってくれながら、茉莉がほほ笑む。女神のように見えた。

「天音ちゃんは、確かにこわいところがあります。冴理先輩が不在のとき、一度、私の家に遊びに来たことがあって、そのとき、勝手に冴理先輩の部屋に入って、パソコンを開こうとしていました……。それ冴理先輩の部屋やからって注意したら、自分もパソコンを買う予定だから見たかったって。天音ちゃんがデビューした段階で、すぐに伝えるべきでした。天音ちゃんはきっと、冴理先輩に憧れているんです」

天音が——私に、憧れている。

そんなはずあるわけがない。

そう思う反面で、そう考えるのが、最も自然であるような気もした。

川の冷たさで震えたままの私の手を、茉莉はきつく握った。

「私、なんでもします。だから冴理先生……、私と一緒に小説を作りましょう。ぜんぶ、奪い返すんです」

第四楽章

希望は絶望と

東山冴理先生

冴理先生、こんにちは！

月刊カドハル文芸に掲載されていた短篇『エリの叫び』、読みました。

舞台がウィーンになっていましたが、取材に行かれたのでしょうか。

行ったことのない国なのに、描写をなぞるたび、鮮やかに情景が浮かんできて、エリとともに、トリップしたような感覚になりました。（ヴィーナスの乳首、食べてみたいです）

さらに今回はミステリに挑戦されたのですね。どんでん返しに、びっくりしました。

まさに新境地、ですね。

もしかしたらなのですが、この小説は、実際の音楽家の悲劇を元にしているのでしょうか？

ともかく……最高でした。

久しぶりに冴理先生の文章に触れて、生き返るようです。（もしかしたらこの二年間、水面下で研究なさっていたのでしょうか、美しい文章がますます洗練されたように感じました）

冴理先生の小説が、私にとっての酸素なのだと確信しました。

いつかは単行本になるのでしょうか？
いまから楽しみでなりません。
必ずや、サイン本をゲットします。（今までの本もぜんぶサイン本なんですよ）
興奮冷めやらぬうちに、手紙を書きました。
また改めて感想を送ります。

雨より

追伸
ご存知かと思いますが、このあいだ文芸誌に、村田シャープ先生の新作も掲載されていましたね。
冴理先生の喜んでいる顔が浮かび、うれしくなりました。

31—33

私は大阪の部屋を引き払い、東京の茉莉の部屋で暮らし始めた。

編集者の給料は売れない作家よりよっぽど高く、私では到底借りられない、中目黒《なかめぐろ》にあるこぎれいな2DKの部屋に住んでいた。

茉莉は仕事で留守にしていることが多く、食事も困ることのないように用意してくれたので、私はこれまでになく執筆に集中できた。夜は誰かがいることで、孤独にもならなかった。情けないけれど、大阪時代と、オーストリア旅行で貯金を使い果たしてしまい、私に家賃を払う能力はなかった。

けれど茉莉は「そんなことより、原稿を書いてください。冴理先輩が原稿を書くことが、いちばん大事なんです。まずは一年間、リハビリをかねて短篇を書いて、それから渾身《こんしん》の長篇に取り掛かりましょう。企画は必ず通します。だから他とはやりとりしなくて大丈夫です」と言ってくれた。

ただ、今の時代は連作でないと本にするのが難しいと言われたので、連作短篇になるようなプロットを立てた。

大衆向け、ミステリ要素があるとさらに手にとる層が増える——どんでん返しがあればなおいいので、そこは意識しましょうというアドバイスを受け、いままでの純文学テイストの書き方は一旦捨て、文体をフラットにし、エンタメに寄せた。それでも自分の取柄である、美しい文章だけは残るように心がけた。

久々に発表した短篇『エリの叫び』が好評だったのは、茉莉の指示が完璧だったからだろう。

「茉莉、ありがとう。小説、デビュー作以来にこんなに好評やわ」

うれしくなってそう告げると、茉莉はこう答えた。

「いいえ、冴理先生の力です。私、冴理先生の小説を読んで、編集者になろうって決めたんです。冴理先生の才能を、他の人に任せるのが悔しくて」

茉莉が大学を卒業してから、京都の出版社で働いていたことは、後から知った。三年ほど勤めたという。退職してからは上京し、フリーの編集者として何冊かの小説を刊行し――それはどれも話題になっていた新人作家の本だった――実績を作ったあとで、角春出版への転職を決めたのだという。

「冴理先生に依頼するのは、冴理先生に相応しい編集者になってからって決めてたんです」

茉莉は十年前と変わらぬ無邪気な笑顔でそう言った。

茉莉が有能なことは一緒に仕事をすればするほど、わかった。

担当した本はことごとく売れ、茉莉はどんどん出世していった。

そして——夏。蛍が飛び出す頃に、舞衣の結婚式が、京都で行われた。

会場は鴨川沿いにあるチャペル。

この川で死のうとしたことを思い出して、少しだけ不吉な気持ちになってしまったことを、心のなかで申し訳なく思った。

「うちの両親、仮面夫婦だったんですよ。本当にいい人たちだから、お互い言い出せなくて、あんなふうだけど。冴理先生、気づいてましたか」

差し込む陽に照らされたステンドグラスを見上げ、隣に座る、黄色いカクテルドレスを着た茉莉が言った。

私は頷いた。そういうのは、いやでも肌で感じてしまうものだから、血が繋がっているなら猶更《なおさら》、気を遣って生きてきたのだろうと想像できた。だから茉莉はいつも、私がいると、家が明るくなると、笑ってくれたのだと。

「だから私は、本当に愛する人としか結婚しないって決めてるんです」

力強く私を見つめ、茉莉が告げる。

「私も、その予定」

しばらくして、祝福の生演奏とともに、式がはじまった。

開かれた扉から登場した舞衣のウエディングドレス姿を見た瞬間、あまりにもきれいで、簡単に涙があふれた。僻《ひが》むことなく、心から後輩の結婚を祝福できている自分にほっとした。

「舞衣、ほんまに今日はおめでとう。いい式やったわ」

式が終わり、人がはけた頃、みんなで声をかけに行った。小規模なあたたかい式だった。

「冴理先輩のスピーチ、ほんま素晴らしかったです。化粧とれるから泣くの我慢したけど、あぶなかったです。忙しいのに、引き受けてくれて、本当にありがとうございました」

プロにヘアメイクを施され、お色直しで赤の打掛を着た舞衣は、これまでになく美しくて、立派な女性に見えた。

「舞衣が喜んでくれるなら、どんな忙しくても関係ないよ」

私がそう言うと、舞衣は思い出したように涙ぐんだ。

こうして改まった場所に四人でいると、卒業式の日に戻ったような気になって、また胸がいっぱいになった。

「てか豊川悦司にぜんぜん似てへんかってんけど」

なのに――感動の場面をぶち壊すのは、やはり秋子だった。

「こら秋子、そういうのはね、帰り道にしなさい」

「あの……、冴理先輩……それいちばん傷つくやつやから」

けれど咄嗟《とっさ》に出た私の発言が、さらにまずかった。遠慮がちな舞衣のつっこみに茉莉がふきだしながら、言った。

「さすが、人の嫌な部分を書かせたらナンバーワンの冴理先生ですね」

「茉莉それ……褒めてるの？」

「はい！」

私の問いかけに、茉莉が意気揚々と頷く。

「待って、てかわろてる場合ちゃうわ。うちの旦那、ほんまに豊川悦司似てへんの？」

しばらく、それぞれの天然さを競うエピソードで盛り上がったあと、舞衣が秋子に訊いた。

「うん、全然。まあまあイケメンやけど、どっちかいうたら、アンジャッシュの渡部やわ」

「あんたの彼氏の相方やん！」

舞衣の絶望した声に、私たちはまた一層笑った。

「舞衣先輩！」

――その声がしたのは、式場を出ようとしたときだった。

「あ……天音ちゃん！」

その姿を目に入れた瞬間、心臓を握りつぶされたような痛みが走った。対面するのは書店回りの日以来だった。年月が経っても、少女のような可憐《かれん》さはちっとも変わらない。容姿の差を抜きにしても、たった三歳差だというのに、気づかない間に自分がものすごく老いてしまったことに気づいて、哀《かな》しくなった。

「まさか来てくれるなんて、びっくりやわ。欠席の返事もらったから、忙しいんかなって思ってたんよ」

そして、あのとき私は完全に忘れていた。

天音は、舞衣にとっては後輩だということ。式に呼んでいても、少しもおかしくない関係性だということ。

共著を出版したくらいなのだから、よほど勘が鋭くない限りは、私とは仲がいいものだと思われているはずだった。

「舞衣先輩、ごめんなさい。この子、いつ生まれるかわからへんかったから……。でも、一目だけでも――、会いたくて」

言いながら天音は、その細い腕のなかに抱きかかえられた赤ん坊の産毛を撫でた。

ぱっちり二重の、チョコレート色の目をした、将来かわいくなることが保証された子供。生まれて間もないということは、知識がなくてもわかった。連れてきて大丈夫なのかと心配になるほど、その子がちいさかったから。

「わあ、そうやったん！　産後でしんどいやろうに、わざわざ来てくれて、ほんまにありがとうね。うれしいわ。こんな人気作家が二人も来てくれるなんて夢みたいや」

喜ぶ舞衣の隣に立っている茉莉が、心配そうに私の顔を見遣《みや》る。

いま自分がどんな顔をしているのか、想像するのもおそろしかった。

それから、五人で談笑した内容は、一つも思い出せない。

取り戻せる記憶は、式場を出てから、天音と目が合ったあと――。

「天音先生も、結婚おめでとうございます」

それは先輩として、言わなければならなかった。それも、躊躇することなく、自然に。

「冴理先生、ありがとうございます」

横取りして――何が、ありがとうございますや。

心の中で悪態をつかずにはいられなかった。

その湧き上がる怒りが、顔に表れていたのかもしれない。

「本当におめでとうね、天音ちゃん。じゃあ、私たちは新幹線の時間があるし、タクシーに乗るから、ここで失礼するね」

急ぎ足で、茉莉が言った。

「――……あの、冴理先生、お願いがあるんですけど」

けれど予想外に、私は天音に引き留められた。

「なんですか？」

天音はそのチョコレート色の瞳でじっと私を見つめる。何か緊張しているようにも見えた。嫌な予感以外は、しなかった。

「よかったらなんですけど……この子に名前をつけてくれませんか？　夫が、冴理先生と仲が良かったから、そうしてほしいって」

茉莉が、ふるえる私の手を落ち着かせるようにぎゅっと握った。

――嬰が……。

そのとき、はじめてキスした夜のことを、もう鮮明に思い出せなくなっていることに気が付いた。

茉莉とおだやかな日々を送るなかで、嬰を愛していたことは少しずつ、過去になりつつあるのかもしれなかった。

でも、名前をつけてほしいだなんて――。

どういう、つもりなのだろう。

心の奥底で固まりはじめていた怒りが、ふつふつと、マグマのように湧き出すのがわかった。

久々に発表した短篇が、まるで話題にならなかった腹いせか。

それとも——罪滅ぼしのつもりなのか。

「じゃあ………カノン」

断ることもできた。思いつかないからと。

けれど私は、間もなくして言った。

サリンと似た、美しい名前。

自分と嬰の子供ができたらつけようと思っていた、名前だった。

「カノン……最高です！　きゃはは」

天音はその大きな目をさらに見開き、うれしそうに甲高く笑った。

すべての感情を押し殺しながら、私もほほ笑んだ。

「気に入ってくれてよかったです。どうか、村田さんと、末永くお幸せに」

村田さんと呼ぶと、知らない人の気がして、案外平気だと、自分に言い聞かせた。


「冴理先生……大丈夫ですか？」

タクシーのなかで、茉莉が問いかける。

「ねえ茉莉、私、最高のプロットが思い浮かんだ」

窓に映る私の顔は、泣いているようにも笑っているようにも見えた。

名前を放った瞬間、それが合図だったのかもしれない。

――不幸の輪唱《カノン》がはじまる、合図。

「冴理先生……本気ですか」

本当は正気かと問いかけたかったのだと思う。

あの提案を茉莉に話したのは、天音と嬰が新婚旅行でウィーンに滞在している夜だった。なぜ天音がその地を選んだのかは、聞かなくともわかった。私がそうだったように、嬰の思い出の地だからに決まっていた。

私が死ぬために訪れたその地で、愛を確かなものにしているのだと思うと、もう歯止めはきかなかった。

「茉莉、あの日、何でもするって言ってくれたよね。奪い返そうって」

それは私を死なせないための、救いの言葉だということをわかっていた。茉莉だって錯乱していたのだと。でも、縋《すが》らずにはいられなかった。

「それは……小説のために」

「だから、これは小説のためなの」

私は声を張った。

あの子に名前を与えた瞬間から、私はもうきっと普通の精神状態ではなかった。嬰を追って大阪へ駆けて行ったときから、そうだったのかもしれない。

「天音が小説を書いていること自体が、私を苦しめていることを、茉莉なら察してくれているでしょ……?」

茉莉は、いまにも泣きそうに頷いた。

「いま、もっとも業界が注目している敏腕編集者であるあなたの依頼を、天音はきっと断らない。学生時代、お世話になった先輩なのだから、尚更」

「だけど、偽の依頼なんて……」

「偽の依頼じゃない。確実に依頼を受けてもらうために、印税率について、誤魔化してくれるだけでいい。出版前になって、印税率が変わることなんて、ざらにあるでしょう。それに、変わったとしても、一般的な印税率になるだけなんだから、問題ない」

私自身も、出版直前になって十パーセントが、八パーセントに引き下げられた経験があった。

「でも、十パーセントも誤魔化すなんて。告発でもされて、問題になったら……」

「その心配はしなくていい」

「どうして、ですか」

「それはあとで話すから。とにかく私を、信じて」

あのとき、私の気迫に押されて、茉莉は頷くしかなかった。

「もう一つは、天音の原稿を、茉莉の赤字で、混乱させてほしいの」

「……混乱」

茉莉はおぼろげに呟《つぶや》いた。

「――そう。なかなか完成させないように。私が長篇を書いているあいだだけは、天音の作品が世に出ることがないようにしてほしいの」

人にとっては、なんていう小さな復讐《ふくしゅう》だと――そう感じるかもしれない。けれど、天音の新作がこの世に出ることが、私にとってはいちばんの恐怖だった。天音がこれ以上評価され、幸せになっていく様子が。

「それで……冴理先生の原稿が進むんですか」

「進むどころじゃない。傑作が生まれる。命を救ってくれた、この手に誓う」

私は涙ぐみながら、茉莉の手をぎゅっと握った。

「……わかり、ました」

茉莉は声を震わせながら言った。

これで、天音のもとへ悪魔を送り込む準備が整った。

私は歓喜のあまり、茉莉を抱きしめた。

「ありがとう、茉莉。愛してる」

あのときの私は、茉莉の気持ちを利用したのかもしれない。茉莉が私に抱いている感情が、性別を超えたものだということは、気が付いていた。高校生のときからずっと。

「今日、執筆依頼をしてきました。いままでの集大成となるような渾身の大長篇をお願いしたいと……。枠の都合で連載として掲載できない代わりに、印税を二十パーセントにするので、いまある依頼を後回しにして、最優先して書いてほしいということも」

後日、茉莉が執筆依頼に出向くと、天音はやはり二つ返事で承諾した。原稿料が発生しないといえ、発売されれば必ず重版になるのだから、印税二十パーセントの提案に乗らないはずがなかった。

「天音、どんなふうだった？」

久しぶりに、わくわくしながら私は訊いた。もう自分の廃れた心を、茉莉に覗かれることに抵抗はなかった。全てを曝《さら》け出しても、茉莉は私の傍にいてくれる。そういう確信が出来ていた。

「助かると、仰《おっしゃ》っていました」

「まさか、お金に困ってるの？」

「そのようで……、出産を機に、仕事がしやすいように東京《こちら》に引っ越されたので、二人の執筆部屋を確保するとなると、家賃もずいぶん高くつくらしく、近頃はネットで洋服を買い漁っているようで……部屋にＺＯＺＯＴＯＷＮの箱が山ほど……」

――洋服。その無駄に思えるほどの高価さは、身に染みて知っていた。

でも母とは違って、どんな洋服を着ても似合いすぎるのが原因だったのかもしれない。

「加えて村田先生は、ソシャゲに夢中のようで……かなりの額を課金につぎ込んでしまうとも」

「え」

心底驚いた。子供も生まれたというのに、そんなふうに廃人じみた生活を送っているとは想像もしていなかったから。裕福で幸せに暮らしているに違いないと、苦虫を嚙み潰していたくらいだった。それに嬰とソーシャルゲームのような流行りものは、対岸にあるような、そんな違和感があった。

「……ふたりは仲がいいの？」

もう、奪い返そうなんて考えはない。けれど嬰が、天音と再婚したことを後悔していればいいと、期待せずにはいられなかった。そうだったなら、少しだけ救われる気がした。

「私が見ている限りは、ですが……。けれどお互い作家なので、ストレスのはけ口がないのかもしれません」

愛しあっていたのだとしても、確かに同じ――さらに小説家などという精神をすり減らす仕事をしている限り、支え合うことは難しいのかもしれない。それに本来嬰は、全てを包み込んでくれる年上の女性が好きなはずだった。

「それで証拠は……見つかった？」

「はい、とても簡単に……。二人とも、整理がひどく苦手みたいで、部屋中に原稿やら領収書やら、もうとにかく酷い散らかりようで……」

言いながら、茉莉は一枚の封筒を私に手渡した。

中身を確認すると、交際当時に、嬰が天音に渡した手紙が入っていた。

ＬＩＮＥやＤＭではないほうが、証拠が残らないと考えたのかもしれないし、敢えてロマンチックさを求めたのかもしれない。

手紙には、すべてを清算するから、真剣に自分と結婚してほしいということが書かれていた。一年前の私が読んでいたら、二度と立ち直れなかった。そういう文面だった。

「ありがとう。茉莉ってほんとうに、優秀やね」

けれどあのとき、負の感情はすべてがエネルギーになった。証拠が集まるたびに、筆が進んだ。

私は天音の長篇が書きあがった段階で、世間にふたりの不倫をリークするつもりだった。

カノンが不倫の最中に生まれた子供だということも。

そんなスキャンダルが起これば、発売前になって印税率が十パーセントに下がることに対しても、仕方がないと呑むしかなくなる。――馬鹿でしょう。茉莉も内心は呆れていたと思う。だけど当時の私にとっては、それが完璧な計画に思えた。とにかく正気じゃなかった。

私が死ぬことを決意するほどに苦しんだ半分でも、二人が苦しめばいい。そう思っていた。

あの耳障りな笑い声を、二度と、あげられないようにしたかった。


「天音の長篇は進んでる？」

三十二回目の夏が始まる頃、鼻歌混じりに、私は訊いた。

「少しずつですが、書いてくれています」

「天音は、筆が速いのに、どうしたの。今執筆しているのは、茉莉の原稿だけでしょう」

「それが……出産してから体調が万全にならないようで」

挙式のときは、そんなふうには見えなかった。でも産後は鬱になりやすくなったり、全治数ヵ月の交通事故にあったほどの負担が身体にかかったりすると、ネットの記事で読んだことがあった。

「ふうん……。タイトルは決まっているの？」

私は冷徹に訊き返した。こちらも自殺未遂に至るほどに傷つけられたのだから、心配する義理はない。むしろ、天音の原稿が進まないのは喜ばしいことだった。

「『レクイエム』です。初めて、ミステリに挑戦されています。どんでん返しの泣ける話にしますと」

「最高ね」

反対の意味を込めて、私は言った。

茉莉が言うように、私に憧れていたのだとしたら——それは去年の冬、私が出版した連作短篇集がミステリであったことに感化されているはずだった。故意なのか、天然なのか、そんなものは、どちらでもよかった。ただ天音は、私が手にしたものをすべて奪っていく女なのだと、そう確信して、ますます復讐の決意が固まるばかりだった。

私は印刷が終わったプリンターから、原稿を取り出して纏めると、茉莉に差し出した。

「さっき、第一章が仕上がったの。読んでくれる？」

天音の作品が発表されることがない安堵感からか、これまでの混沌《こんとん》さが嘘のように原稿は進んでいた。


——「サリン、小説っていうのは、自分のなかから膿をしぼりだす作業や」

——「膿、ですか」

——「そうや。ニキビつぶすと、白いのでてくるやろ。あれや」

——「汚いもんってことですか」

——「違う。しぼりだすとき痛いやろ」

——「はい」

——「その痛みが、小説になるんや」


執筆中、嬰と——いや、シャープと交わした言葉が、頭の中を駆け巡っていた。

そのとき、気がたかぶっていたのだろう、先輩と呼ばれたことには気が付かなかった。

「冴理先輩……」

「……これ……書きあげればきっと……いや、絶対に、傑作になります」

そう言った茉莉の原稿を持つ手は、小さく震えていた。

思い返せば、私を暗闇に突き落とすのも、暗闇から救い出してくれるのも小説だった。

誰にも吐き出せない、汚い言葉を受け止めてくれたのは、このキーボードだけだった。

「私もそう思ってる」

心の奥底で、まだ自分は特別だと信じていた。

33—33

嗚呼《ああ》、とても長くなったわね。

私と天音の物語が結末を迎えたのは――クリスマスが近づいてきた十二月のことだった。

「わあああ、どうしよう、どうしたら」

あの日、茉莉が血相を変えて帰ってきたかと思うと、学生時代の頃に戻ったかのように、泣きながら私に飛びついてきた。

「どうしたの、茉莉、落ち着いて」

「あ、天音ちゃんが……、すごい熱で」

「天音が……？」

「はい、こんなこと、冴理先生に言うべきではないのはわかっているんですけど……村田先生も留守にしていて、明日まで帰ってこられないらしくて。わ、私も……これからどうしても外せない打ち合わせがあって……救急車を呼ぼうとしたんですが、病院にはどうしても行きたくないとの一点張りで……もう、どうしたらいいのか」

それは演技ではなかった。茉莉がこのあと、誰もが名前を知る大御所作家と打ち合わせだということは、一ヵ月も前から聞いていたことだった。努力して口説き落とし、取り付けた約束だということも。

茉莉が、どうして看病を他の編集者に頼まないのか。それは天音を騙《だま》している罪の意識からだということは、聞かなくてもわかった。

「わかった。私が行く。だから茉莉、安心して。着替えてくるから、天音の住所をメモに書いておいて」

私はくたびれたユニクロの部屋着を脱ぎながら言った。非常事態だとしても、東山冴理として天音に会うのだから、小説家としての装いに着替える必要があると思った。

というより私はあのとき、少し、わくわくもしていたのかもしれない。

証拠を集め、茉莉から様々な情報を受け取り続けた結果、もう嬰に対する恋心は消えていた。いまならば、天音と嬰の新居を、冷静に見られる自信があった。それに、天音の仕事場に入れる機会など、これを逃したら、二度とないはずだった。

教えられた飯田橋のマンションは、いわゆるタワマンで、家賃も高額なことが容易に想像できた。

部屋の鍵は、茉莉から預かっていた。私はなるべく物音を立てないように部屋へ入った。

十五畳ほどのリビングには、噂に聞いていたとおり、きっと一度も袖を通していない、ビニール袋から出されただけの服や、畳まれていない黒い段ボールが散乱していて、少女の頃、ゴミ箱の中で暮らしていたことを思い出さずにはいられなかった。

一面がはめ込み窓になっていて、三十三階の部屋からは、スカイツリーや皇居が見えた。長いあいだ東京に住んでいたのに、授賞式以来久しぶりに見た、東京らしい光景だった。

壁には、ウィーンで撮ったのだろう写真が飾られていて、ふたりとも幸せそうな顔をしていた。二人が並んでいるのを目の当たりにすると、やはり私が入る隙間などなかったのだと、ほんの少しだけ古傷が痛んだ。

奥が寝室になっているようで、そこから音楽が流れているのが聞こえてきた。

曲名はわからなかったけれど、モーツァルトの楽曲だということはわかった。だってここは嬰の家でもあるのだから。

「天音先生、こんにちは」

私は、そっと顔を出して、言った。

天音はまるで亡霊でも見たかのように、硬直している。

家の中だというのに、ネグリジェというのだろうか、天音はお姫様のような装いをしていた。

「茉莉、どうしても抜けられない仕事があったから、迷惑かと思ったんだけど、心配で、様子を見に来たの。すごい熱だっていうから」

天音の顔は熱のせいか、明らかに赤らんでいた。

「そ、そうなんですか……。ほんとうに、びっくり……です」

「急に訪れて、ごめんなさいね、それで、体調はどう？」

「……え、あ、ずっと……微熱気味、だったんですけど、昨日から悪化して、熱が下がらなくて……」

たどたどしく天音は言った。病人を疑うほど心が腐っていることに嫌気が差したけれど、茉莉から聞いていた、天音はずっと体調が悪いという情報は、嘘ではなさそうだった。

「病院についていきましょうか？」

消えてほしいとまで思っていたのに——当人を目の前にすると流石に放っておけずに、私は言った。

けれど天音は小さな子供のように首を振った。

「それは遠慮します。……病院は、嫌いなんです。家で寝ていれば治ります」

茉莉の言った通りだ。しかし私には、救急車を呼ぶほどの病状だとは思えなかった。

「……そう」

本人が嫌がる以上強制はできなかった。

「原稿を、書いていたの……？」

枕元にノートパソコンが開かれているのを見て、私は訊いた。

「はい。あと……エピローグだけなんです。明日、茉莉さんと約束した〆切《しめきり》で」

高熱が出ているのに、原稿を書いていたなんて。なんだか負けた気持ちになった。

「よかったら、手伝いましょうか」

私は言った。もちろん、助けたいなんていう気持ちではなかった。どんな原稿なのか、見たかった。天音がどんなふうに、物語を紡いでいるのかを。

「――え」

意外すぎる提案だったんでしょう、天音は戸惑っていた。

自分でも、予想していなかった展開なのだから当然だった。

「喋ってくれたことを、私がキーボードを打つだけよ。あとで推敲《すいこう》すれば、〆切に間に合うでしょう」

私が言うと、天音はどうしてか、満面の笑みを浮かべて言った。

「……それは――……最高です」と。

そして時計の針が深夜一時を差したとき、息を切らしながら天音が最後の一行を言い上げた。わざわざ終わりだと言われなくても、それが最後の一行だとわかった。いつから考えていたのかわからないけれど、その一行は、それほどまでに完璧だったから。

「……すごい、大作ね」

思わず私はそう漏らした。全体は読んでいない。たった十枚のエピローグを代筆しただけなのに、この作品『レクイエム』は必ず評価されるとわかった。一読者として、感動せずにはいられなかった。

天音はどうしてこんなにも、希望にあふれた物語を、思いつくのだろう。

闇のなかで生きてきた私には、何を書けば希望になるかさえ、わからなかった。

「茉莉さんの指示が的確なおかげです……。私一人では書けませんでした」

天音の謙虚な姿勢に、私はいまさらになって、茉莉に対し、赤字で混乱させてほしいと言った自分が、恥ずかしくてたまらなかった。そして茉莉は、この原稿に対し、過剰なほど指摘を多くすることで、時間をかけてくれていたのだと。だから、一発書きであるのに、これほどまでに完成度の高いエピローグが生まれたに違いなかった。

「……何、言ってるの、天音先生は天才じゃない」

そして私はあのとき、代理筆記をしながら、うまくいかなかったことのすべてを、天音のせいにしてきたのだと思い知った。評価されなかったのは、自分自身の実力のなさで、そんな簡単なことを、見失っていたのだと。

「……そんなことないです。神には敵《かな》いません」

「神?」

「あ……、えっと、私がいちばん尊敬する先生のことです」

天音が神と謳うその作家は、いったいどんな素晴らしい物語を書くのだろう。想像もつかなかった。

「そう。でも私は、天音先生の小説に、何度も救われたわ。私には書けない希望の物語に」

言いながら、上には上がいると、天才に果てはないのだと、そう感じるだけで、また簡単に絶望してしまいそうになる。

すると、なぜだろう――天音が大粒の涙を流しながら言った。

「私……、冴理先生に嫌われてると……思ってました」

その瞬間、全身に痛みのような深い衝動が走った。

「――どうして。後輩なのに、嫌うわけないでしょ。むしろファンなのよ。あなたが世に出した小説は、ぜんぶ読んでる」

それは、嘘ではない。けれど、本当ともいえない、長ったらしい言い訳を、冷静を装って放ちながら、――小説家である天音に、見透かされないわけがなかったのだと悟った。

そういうのは、空気を通して、伝わってしまうものだから。

「そうなんですか……うれしい」

けれど天音はそれ以上、突き詰めなかった。

そう言って、本当に、うれしそうに、笑った。

「そうだ。来月に新刊がでるの。今日、見本誌が送られてきて、ちょうど一冊持っているから、よかったらもらってくれる？」

私はあたかもいま、思い出したように言った。

それは——三ヵ月前に書き上げた渾身の長篇だった。

「……私に……？」

「ええ、こんな弱小作家の小説で申し訳ないけど、読んでくれたらうれしいわ」

本当は、家を出る前から、天音に渡そうと思っていた。

天音に読んでほしかった。

——誰でもない天音に。

「あの……サイン、入れてくれますか……」

「え？」

それこそ予想もしていなかった問いかけだった。

「できたら……、為書《ためが》きで、白川天音と」

サインペンを走らせながら、私は、茉莉の言葉を思い返さずにはいられなかった。

——天音ちゃんは冴理先輩に憧れているんです。

そう考えるのが自然だと、全ての辻褄があうと解釈する一方で、そんなわけがないとも思い続けていた。

けれど、もしも本当に、事実だったとしたら。

さっきの、神というのは――――……。

「これでいい？」

私は早まる胸の鼓動を聞きながら、サインを書いた。

「きゃはは……、最高です」

サイン本を手渡すと、天音は弱り切った声で、またうれしそうに笑った。


「カノンちゃんを、一晩だけ、預かりましょうか」

帰り際になり、私は言った。

執筆を手伝っているあいだ、まだ二歳だというのに、ごはんを食べさせるとき以外は、ほんとう賢く、一人で遊んだり、外を眺めたり、眠ったり、さわがしくすることなく邪魔をしないでいてくれた。

けれど熱がある状態で、子守をするのは危険だ――……などというのは建前で、私はただカノンと過ごしてみたかったのだと思う。

名前をつけたせいなのかはわからない。けれど、カノンを見つめていると、いままで感じたことのない、愛しさを感じた。一度でいいから、この手で、思い切り抱きしめてみたいという衝動に駆られた。

「……え、でも」

遠慮がちな天音の声には、まだ二歳のカノンを、私に預けることへの不安が含まれていた。子育ての経験などないのだから、不安視されるのは、当然のことだった。

「大丈夫。家には茉莉もいるから、安心して」

だから私は言った。この家に何度も訪れている茉莉は、幾度となくカノンの子守をしているはずだった。

「じゃあ、お願いしてもいいですか……」

茉莉の名前を出した瞬間、天音の声色がよくも悪くも一気に変わるのを感じた。指示せずとも、茉莉は、私と一緒に住んでいることを、秘密にしてくれていたのだとわかった。

「もちろんよ、そんな状態で執筆までして、疲れたでしょう」

でももう、何がばれたとしても、どうでもよかった。

「じゃあ、カノンちゃん、行きましょうか」

私の声に、無言で頷くカノンを抱き上げ、私はもう一度天音の眼を見た。

そのチョコレートを溶かしたような、甘い眼を。

「冴理先生……本当にありがとう」

天音はその眼で、じっと私を見つめ、ほほ笑んだ。

「気にしないで。ゆっくり眠って」

演技めいてほほ笑みかえすと、天音は子供みたいに頷いた。

そしてその夜私は、カノンを――……あなたを抱いて眠った。

「カノン」

その名前を呼びかけると、なぜだかまるで、自分から生まれてきた子どものような気さえした。

あなたは、天音と同じチョコレート色の美しい眼で、私を不思議そうに見つめた。

愛しかった。

憎き相手から生まれたのに、天使のようだった。

うれしそうに私の指をつかむその手は、握りしめたら、つぶれてしまいそうなほどに小さかった。

「あなたは、幸せになってね……」

私は耳元に吹きかけるようにささやいた。

あの夜、私の心には、もうおそろしいほどの嫉妬はほとんどなかった。

天音の様子を見に行く前から、そうだった。不倫をリークすることも、しないと決めて証拠も捨てていた。

なぜなら私の心に溜まった膿は、なくなっていた。

一年という歳月をかけて、茉莉と共に作り上げた作品に、すべてを吐き出していたから。

たとえ売れなかったとしても、書き上げたことに意味があると——心からそう思える、作品が書けていた。

自分にとっては、紛《まご》うことのない、傑作だった。

そんな作品が書けたとき、心はこんなにも穏やかに、凪《な》いで、幸せになるのだということを、私は小説家になってはじめて知った。

「……かみ？」

それは、眠る前だった。

あなたが拙い発声で訊いたことを、はっきりと覚えている。

髪なのか、紙なのか、神なのか、定かではなかったけれど、

「そうだよ」

後者なのならば、名を授けたことが、そういうことになるのかもしれないと思い、頷いた。

それからあなたは、私にぎゅっとしがみついて、眠った。

私はずっと、愛されたかった。

母に。

シャープに。

小説に。

神そのものに。
でもいちばんは――、自分自身から愛されたかったのかもしれなかった。

東山冴理先生

冴理先生、こんにちは。

最新作『いつか君を殺したかった』、読ませていただきました。

まず、これだけは、はっきりと断言できます。

最高傑作でした。

冴理先生のこれまでの人生がすべて詰まったような……、集大成でした。


私は物語を読む意味はふたつあると感じています。

希望の物語を読み、陽だまりの中にいるように、心があたたかくなること。

そして、絶望の物語を読み、その渦中にいるのが、自分だけではないことに救われること。


だから、冴理先生の小説の物語に共感し、この小説が救いになる読者がたくさんいることだろうと、読みながらそんな希望を抱かずにはいられませんでした。

そして、これからの冴理先生の未来が、希望に包まれたものになると確信しました。

いつか真正面から、希望にあふれた物語も、きっと書かれることでしょう。
これからも、いろんな冴理先生の小説を、読みたかった。
けれど――、それはもう、叶わなくなりました。
一年前のこと、病気が再発したのです。
治る見込みはないそうです。
けれどどうか、悲しまないでくださいね。
私はこの心臓が止まっても、冴理先生を応援しています。
いままでもこれからもずっと、冴理先生のいちばんのファンです。

冴理先生、生まれてきてくれて、小説を書いてくれてありがとう。
生きる希望をくれて、ありがとう。

雨より

それから茉莉とともに作った渾身の一作は、ベストセラーになり、テレビにも取り上げられ、大重版を繰り返した。これまでに経験したことのない部数だった。

各社から執筆依頼が殺到し、映画化の話も何社からもオファーがあった。

ブックストアグランプリの候補に選ばれたというツイートには、二千件ものいいねがつき、フォロワーもいっきに増えた。

「いやあ、作品、傑作でした。冴理先生、またうちでも書いてくださいよお」

かつて、共著を担当してくれた編集者がそんなふうに私を呼びとめた。

その日私は久々に、幻潮新人賞のパーティーへ訪れていた。そもそもパーティー自体が、コロナウイルスの流行で謹慎期間が続き、三年ぶりの開催だった。

私は三十六歳になっていた。

小説は、そのベストセラーとなった『いつか君を殺したかった』以来出版していなかったけれど、もう惨めさは微塵《みじん》も感じなかった。本が売れて、みんなが私の次作を待ち望んでいたからに違いなかった。だから堂々と、出発の地に小説家の顔をして帰れた。

「ありがとうございます、機会があればぜひ」

天国へ——あるいは地獄への扉をひらいた、初々しい今年の受賞者を眺めながら、マカロンを齧っていた最中だった私は、引き攣った笑顔を浮かべた。

あの夏の書店回りの日、この編集者と天音が交わしていた会話を忘れたことはなかった。

何のフォローもしてくれなかったくせに、売れた途端に味方だったふりをしてくる。

「それにしても……天音先生のことは残念でしたねえ。あの晩、一緒におられたとか……？」

編集者が、あからさまに作ったような、悲愴《ひそう》な表情を浮かべる。

絶対にその話題を振ってくるだろうことは予想済みだった。むしろ、しないほうが、人間として疑われるのかもしれなかった。

「ええ、あの日は、体調が悪いと聞いて、原稿を手伝ったんです」

「そうですかあ。朝まで付き添ってあげればと、後悔されたでしょう……」

「あの時は、ゆっくり眠ったほうがいいと思ったので。それに、あんな事態になるなんて、思ってもいなかったですから……」

「そうですよねえ。しかし世間では、ライバル関係にあったふたりのあいだで何かあったのでは——という声もあるそうですよ」

「あははっ」

下衆な噂に、私は思わず笑い声をあげていた。

「どうして、笑うんです?」

編集者はさすがに不審そうな顔を浮かべ、私を睨んだ。

「だってライバルなんて――、おかしくて。天音先生と私には、歴然とした差があったこと、いちばん知っているでしょう?」

それは、あからさまな嫌味として放った。もうこの編集者と私が仕事をすることは二度とないのだから、どう思われたって構わなかった。

「そ、そんなことないですよ」

「じゃあ、これまで私が刊行した本のタイトルを何冊言えますか? 天音先生の本よりも多く言えます?」

編集者は言葉に詰まった。向こうも私と仕事をすることはないと、腹の中で決めたことでしょう。

「彼女は、生まれ持って、神に愛されていたのにね」

私は言い、持っていたオレンジジュースが入ったワイングラスを、テーブルに置いた。

「じゃあ、失礼します。これから、新作の打ち合わせがあるんです」

そして、パーティーの途中で、会場を抜け出した。

本当は、打ち合わせなどなかった。

ホテルを背に、私は立ち止まり、溜息をついた。

改めて見上げる新宿の空は狭くて、街もちっともきれいではなかった。

息をするだけで空気が汚れているのがわかり、吐きそうになった。

あの日、まだ少女だった頃に見たとき、未来みたいだと感じたここは、今はもう、過去でしかなかった。


——「サリン、戦うのは、自分や」


いつかシャープに言われたことが、蘇《よみがえ》った。

戦わせたのはお前だと文句を言いたいけれど、もうそんな気力も、必要もなかった。

それに、本当に、その言葉の通りだった。

「赦しなさい。そうすれば、あなたがたも赦される。与えなさい。そうすば、あなたがたにも与えられる」

少女の頃からずっと、大切にしていたその言葉さえ、忘れていた。

だから、悪魔に心を奪われていた私はきっと、神から見放されたのだと悟った。

私の心は、もはや空っぽだった。

絶望も希望も、なかった。

——天音がいなくなった世界で、私はようやく人気作家になった。

間　奏
Interlude

「……これで、話は終わり」

私は大きく深呼吸をしたあと、冷めきった紅茶を啜り、二つ目のマカロンを手に取った。

「それからのことはもう、あなたのお母さんとは関係のないことだから」

「……話して下さって、ありがとうございました」

座ったまま、花音が小さく頭を下げる。

どうしてだろう。

険しい表情をしているが、特別に、驚いた様子はない。

怒りで刺されてもいいとすら思っていたのに。

むしろ、そうしてほしいとすら。

「不愉快になる話もあったでしょうに、よく最後まで聞いてくれたわ。途中から感情的になってしまってごめんなさいね」

花音の反応に違和感を覚えながらも、私は言った。

「いいえ……、詳細なこと以外は、だいたい知っていましたから……。けれど私が知っている話とは、ずいぶん違いました」

だいたいは、知っていた？

「それは――どういう意味かしら」

瞾が私の話をすることはないだろう。わざわざ茉莉が話したとも思えない。

「もう十五年も前のことになりますが、高校生のとき、母の手記を見つけたんです……。そこには、母の秘められた想いが綴られていました。けれど私は、手記を見つけたことを、いままで誰にも話すことができませんでした……。なぜならそこには、決して許されない罪が書かれていたからです」

私は息を吞んだ。

「……どういう内容なのか、聞かせてくれるのかしら」

私は語気を強めて言った。――天音の罪が書かれた手記。気にならないわけがなかった。

「冴理先生には聞く権利があると思います。けれど……話しても、いいのでしょうか。この話をすることで、冴理先生の三十年間が……無意味なものになってしまうかもしれません」

瞾から天音の死の報告を受けたのは、小さかったあなたと一緒に眠りから覚めた朝だった。

私の心臓は、そのとき以来に、大きく波打っている。

「どうして、そんなことを思うの」

天音と瓜二つの――そのチョコレート色の瞳を、溶かしてしまいそうに、熱く見つめた。

「こわいんです」

花音は、酷く怯えた目で私を見つめ返す。

「何が、こわいの」

「だって冴理先生は……いまでも母のことを憎んでいるのでしょう？　だから新作を書かれない……」

天音が死んだのはもう三十年も前のことだ。

過去になっていると、自分では思っていた。けれど、他の誰でもない花音に問われて、そうなのかもしれないと感じた。私はいまでも、心のどこかで、天音のことを憎んでいるのかもしれないと。

「そんなことはないわ」

だけど、そう答えるほかに、何があっただろう。

それに実際、筆を折った理由は、天音への憎しみのせいなどではなかった。

「だから、こわがらずに話して頂戴《ちょうだい》」

もう私は、すぐに絶望してしまうような少女じゃない。六十年以上も生きたのだ。

子供は望めなかったけれど、長年連れ添った配偶者もいる。心から、愛する人。私はいま、果てがないほどに幸せだ。

「……でも」

「なんでもいい。私はもっと、あなたと話していたいの」

演技ではなく、私はほほ笑んだ。

カノンと、私が名付けた。

あの夜、手を繋いで眠った。

二歳だったあなたと、言葉を交わせたのかもわからない。

それ以前に、あの夜のことなど、あなたは何も覚えていないでしょう。

でも、私はずっと、あなたに会いたかった。

あなたのことを、思わない日はなかった。

——あなたの母を、殺してしまった罪を、忘れた日はなかった。

音楽は自らの人生であり、人生は音楽である。
このことを理解できない人は、神に値しない。

――モーツァルト

最終楽章

神に愛されたかった

14
—
29

一九九一年三月三十一日。それが私——白川天音の命日となるはずだった。

生まれる前、医者からは、九十九パーセントの確率で、死産になるだろうと宣告されていたらしい。臨月になって、胎内で水疱瘡《みずぼうそう》にかかっていることが発覚したからだった。

しかし私は奇跡のような確率で、他の子と変わらぬ産声をあげ、成長していった。

けれど、その代償というか、幼い頃から病気がちだった。入退院を繰り返し、医者からも、この調子では長くは生きられないだろうと言われていた。

病院通いで心労が祟《たた》ったのかもしれない、母は私が十歳の頃に、癌《がん》でこの世を去った。

気づいたときには末期だったという。

——「あなたの顔を見られたから、生まれてきてよかった」

母は最後にそう言って、息を引き取った。

父は仕事が忙しく、まだ子供だった私の面倒は五つ年上の姉——幸穂《ゆきほ》が見てくれた。

毎日のように病室に訪ねてくれ、受験生だったユキ姉にとって、それがどんなに大変なことだったのか、私には想像もできない。

高校生だったユキ姉は、病院内では必ず二度見されるほどの、ギャルの見本のような人だった。

学年でもトップレベルに勉強が出来るのに、自分のことをいかにもアホそうに「ユキ」と呼び、百二十センチのルーズソックスを履き、髪やメイクに一時間もかけていた。けれどユキ姉の佇まいは、たとえ素顔であったとしても、他校でも噂になるほどの美しさだった。

加えて、根っからの明るい性格で、看護師さんや患者さんにも、大人気だった。私はユキ姉に憧れていた。こんなふうに素敵な女子高生になれたら、どんなにいいだろうと思っていた。

けれど自分が、高校生になれないかもしれないことは気が付いていた。

私の命はそこまで保たないだろうと。

それでいいとさえ思っていた。どうせ生きながらえたとしても、病室の景色のなかに埋もれていってしまうのだから。


「天音、この本、あげる」

そしてユキ姉がその本を持ち帰ってきてくれたのは、十四歳の秋のことだった。

「文化祭で配ってたから、もらってきてん。表紙が天音の眼みたいやろ」

水彩絵具で描かれたその表紙からは、チョコレートの香りが漂ってくるようだった。

「ほんまや。でもユキ姉、これ小説やよ」

「え、マジ？　画集やと思ってたわ。でもそういえば、文芸部が配ってたっけ」

ユキ姉が天然をかましてくれたおかげで、出会えた本。それが――『オペラ』だった。

私はそれまで、景色の写真集や画集ばかりを好んで、買ってきてもらっていた。とにかく、色を求めていた。気持ちが明るくなるような色を。文字なんて、黒いばかりで、興味がなかった。

だから最初は、ユキ姉がせっかくもらってきてくれたのだからと、しぶしぶ読みはじめたのだ。

けれど、黒いだけなんて、思い違いも甚だしいことだった。

『オペラ』の最初に載っていたその短篇を読んでいる最中、誰かの美しい人生そのものが目の前に広がった。まるで、その人生を生きているような感覚にさえなった。

ページを捲り終えた手が、かすかに震えていた。

文字が、こんなにも色鮮やかであることを、私は知らなかった。

画材を揃《そろ》えなくても、ノートとペンさえあれば、ベッドの中からでも、こんなふうに世界を描くことができるのだ――。

私の心の中に、それまでになかった希望の光が差した。

翌日から私は、何かに取り憑かれたように小説を綴りはじめた。

何を書こうと決めていたわけではないのに、ノートにペンを這わせると自然に指が動いて、文章が紡がれていくのが不思議だった。

まるで鍵盤を叩くと音が鳴り、音楽となるように——物語は次々に仕上がっていった。

長い間病院で過ごしていたおかげなのかもしれない、空想は尽きなかった。

そして書くという行為は、いつしか眠る間も惜しくなるほどに、楽しいものになった。

小説を紡ぎはじめてから、私の体調は嘘のように、どんどんよくなった。

奇跡が起こったと、担当してくれていた医師は涙を浮かべながら、私の頭を撫でた。

「きっと神様が、天音ちゃんのことを助けてくれたんだね」

「はい」

私は頷いた。

神様——そんな存在は、信じていなかった。

けれど、オペラに載っていたあの短篇『はじめに小説、次に感情』を書いたその人——

東山冴理先生は、私にとって神に違いなかった。

退院後、私は晴れて高校生となった。

姿見に映る制服姿の私は、死と隣り合わせにいたとは信じられないほどに、すっかり女子高生らしい出で立ちになっていた。

入院がちだったため、受験の心配をする声もあったけれど、入学試験は拍子抜けするほどに簡単だった。自慢ではないけれど、昔から、どんなに授業に遅れても、勉強を難しいと思ったことはなかった。教科書を読み込みさえすれば、問題なく理解できた。

そういえば小説も、書き方で悩んだことはなかった。書けないと思ったことも。いつも、私の憧れを集結させたような登場人物たちが、指先を辿り、紙の上でそれぞれの人生を踊って見せてくれた。それが頭の中で、一本の映画のように流れていて、私はいつもその映像を文字に書き起こしていただけのような気がする。それは誰にも見せたことのない第一作目から、そうだった。小説を書くというのは、孤独な作業のはずなのに、ちっともそうではなかったのは、そうやって登場人物が語り掛けてくれたからに違いなかった。

そして私は、迷うことなく文芸部に入部した。

ユキ姉と同じ高校へ進学したのだから、ここがあの——『オペラ』の聖地で間違いなかった。

冴理先生の過ごした場所で、息をしている。そう思うだけで、神聖な気持ちになった。

「こんな可愛い新入部員が入ってくれるなんて、ほんまうれしい。文芸部を選んでくれて、ありがとうね」

二年生の茉莉先輩は、私が部室に入るなり、両手を広げて強いハグをした。その年入部した一年生が、私だけだったから、余計に歓迎してくれたのかもしれない。

「茉莉、新入部員ちゃんびっくりして固まってるから」

「あ、つい癖で、ごめんね」

「しかしあんた……、ほんまに天使みたいに可愛いな。睫毛《まつげ》、三センチくらいあるんちゃう？」

三年生の——舞衣先輩と、秋子先輩。

文芸部というからには、もっと地味な人達が集まっているイメージがあったけれど、先輩方はみんなそれぞれ面白く、個性的な可愛さを持ち合わせていた。

「きゃはは、三センチはないですけど、ありがとうございます」

茉莉先輩の力強いハグから解放された私は、大げさに笑いながら言った。それまで私には、あまり笑うという習慣がなかったから、うまく笑えていたかはわからない。

——なああ天音、楽しそうにしている女の子ほど最強なものはないんよ。あんた、折角そんなにかわいいのに、ぜんぜん笑わへんから勿体《もったい》ないわ。明日から華の女子高生になるんやし、笑うの、練習してみたら？　ちっとも面白くなくても、とりあえず笑う。ほら、笑う門には福きたるっていうやん。ユキもそれはほんまやと思ってて、笑顔でいたら自然と友達もいっぱいできるし、男子からもモテるし、とにかく、いいことずくめなんよ。

けれど入学式の前夜、ユキ姉に心配そうにそう諭されてからは、私はいつも楽しそうに、笑うことを心掛けた。

助言を守ったからかはわからないけれど、高校三年間、友達を欠かすことはなかった。ユキ姉の言う通り、喋ったことがなくても、笑いかけるだけで、私を好きになってくれる男子さえいた。

傍から見れば、順風満帆な高校生活だったのだと思う。

けれど私は、ちっとも楽しくなかった。

気づいてしまっていたから。

小説より素晴らしい現実など、ないのだということを。

病床で、私が憧れていた普通の学生生活というものは、普通ではなく、奇跡的に恵まれた人間関係の上にあるのだということを。つまり、空想上のものでしかないということ。

現実の友だちよりも、自分で創造した友だちのほうが、何倍も素敵な言葉を投げかけてくれた。

教室の窓から見える空よりも、冴理先生が紡いだ世界のほうが、色鮮やかだった。

そんな、想像以下でしかない、つまらない高校生活のなかで、私に残された楽しみは、冴理先生の欠片《かけら》を探すことだけだった。

毎日、放課後が来るのが待ち遠しかった。

文芸部には、冴理先生の欠片がたくさん残っていたから。

グラデーションに並べられた本棚。

書きかけの原稿用紙。

小説の種となるのだろうキーワードが記されたメモ。

冴理先生が存在していた証《あかし》を見つけるたびに、胸がいっぱいになった。

まるで、宝箱のなかにいるみたいだった。


「冴理先輩がね、七月中頃から家庭教師に来てくれてるんよ」

茉莉先輩に、そう告げられたのは、夏休みが明けた日のことだった。

「……冴理先輩って――『オペラ』を立ち上げた人ですよね」

私はわざとらしくそう訊いた。

冴理先輩と、声にしたのはそのときがはじめてだった。それだけなのに、私と冴理先生が、この世界でようやく繫がったような、そんな気がした。

「そう。私がこの世でいちばん尊敬している人なんよ。書く小説も、もうプロみたいっていうか。『オペラ』に載っているから、天音ちゃんも読んでみるといいよ」

言われなくても、何度も、何百回も、記憶してしまうほどに読んでいた。

「私、冴理先輩に会えるから、土曜日がたのしみでたまらない」

そう言った茉莉先輩の表情は、恋する乙女そのものだった。

茉莉先輩は、ほんとうに優しくて、可愛らしい人で、この学校で誰よりも私に良くしてくれた。けれどあの瞬間から私は、茉莉先輩をライバルのように思っていたのかもしれない。

「天音もいつか会ってみたいです」

話を聞く限り、冴理先生に最も近しい人であることは、確かだった。

羨ましかった。

——私も、冴理先生と話したい。仲良くなりたい。

ただの読者でよかったはずなのに、同じ学校に通えているだけで幸せだったのに、茉莉先輩から冴理先生の話をされるたび、そう願わずにはいられなかった。

それからの私は、どうすれば茉莉先輩よりも、冴理先生に近づけるのか、そればかりを考えるようになった。

だから京大に進学しようと思ったのも、冴理先生に近づきたい一心だった。

だって入学すれば、同じ空気を吸えるどころか、一年でも時期がかぶるのだから。

それに、茉莉先輩の成績では京大進学は無理だということを、知っていた。そして、私の成績ならば、余裕で手が届く。これは、茉莉先輩に差をつけるチャンスに他ならなかった。

思い立ったが吉日、真冬の寒空のなか、私はオープンキャンパスでもない日に、一人で下見へ行った。

もしかしたらいま、冴理先生もこの敷地内にいるかもしれない。

そう思うだけで、緊張がピークに達した。

悲鳴をあげそうになったのは、そのあとだった。

毎日のように卒業アルバムを凝視していた私が、その姿を見間違うわけがなかった。

私の目の前を――冴理先生が横切ったのだ。

それは芸能人を見かけたのとは比にならない。

だって、冴理先生は私にとって――神そのものなのだから。

喋りかけることなど、到底無理だった。

でも、近づきたいという衝動には勝てなかった。いけないと思いながらも、私はこっそりと後をつけた。

授業終わりだったのだろう、冴理先生は急ぎ足で構内を出ると、京大正門前から56系統のバスへと乗り込んだ。

そして三条京阪前で降り、三条大橋を渡って、木屋町通りをずっと歩いていった。

私は一心不乱に、その背中を追いかけた。

――なんだか冴理先生と散歩をしているみたいだ。

信じられない光景を目の当たりにしたのは、にやけながらそう思った矢先だった。

十メートル先を歩いていた冴理先生が突然、小さな虫たちが紫の光に誘われるように、緑のネオンが輝く店舗に吸い込まれていった。

間もなくしてそのお店の前に辿り着いた私は、愕然として持っていた鞄を落とした。

なぜならそこは、キャバクラだった。

どう考えても、お客さんとしてではないだろう。

どうして。冴理先生がキャバクラなんかに。

確かに卒業アルバムに写っていた姿からは、かなりといっていいほど垢ぬけていたけれど、それは所謂《いわゆる》大学デビューなるものだと思っていた。それに、茉莉先輩の話を聞く限り、夜の世界へ進んでいくような性格だとは思えなかった。あのクソ真面目な茉莉先輩よりも、もっと堅実な性格だったと、舞衣先輩も秋子先輩も、口を揃えて言っていた。

何か事情があるに違いない……――私は一瞬でそう察した。

とりあえず、店の近くで待機することにした。一月の夜は、寒くて、指先が凍ってしまいそうだった。ユキ姉から鬼電がかかってきていた。だけど、とらなかった。今は冴理先生が心配でならなかった。

ようやく冴理先生が店から出てきたのは、深夜一時半を越えた頃だった。

「なあなあ、どこの店で働いてるん。君バリ可愛いから、初回タダでええし飲み来てや。てか普通にメアド教えて」

通りすがりの祇園《ぎおん》のホストのしつこいキャッチを無視しながら、私は再び冴理先生の後をつけた。夜の世界は、パラレルワールドのように、昼間とは全く違う人種で溢れていた。

尾行の結果、冴理先生は、三条大橋の近くの古びたアパートに住んでいることがわかった。ドアの間隔からして、中は六畳程度のワンルームだと推測できた。オートロックはなく、ドアの前までは誰でも入ることができ、セキュリティなどは皆無だった。

冴理先生が帰ったのを見計らい、静かにドアの前に立つと、扉の向こうからは、猛獣が放つようないびきが聴こえてきた。帰宅したばかりの冴理先生が発しているとは考えにくい。

彼氏、だろうか。きっと、彼氏だろう。ショックだったが、大学生なのだから、彼氏くらいいても不思議ではない。冴理先生くらい素敵な人なら、引く手あまただろう。でも、こんな夜中に彼女が帰宅してくることを、普通、彼氏ならば怒るのではないだろうか。そもそも普通の神経ならば、彼女がキャバクラに勤めることを許さないのではないだろうか。だとすると、キャバクラに勤めるようになったのは、この彼氏の影響なのではないだろうか。

しばらくドアの前でいびきを聞きながら、不吉な方向ばかりに思考が傾いていく。

結局、帰宅したのは深夜三時過ぎだった。ユキ姉にこっ酷く怒られながらも、私の心はここにあらずだった。冴理先生のことを考えていた。

いてもたってもいらず、翌日私は一時間目の授業をサボり、一目散にその現場へ向かった。そして向かい側のマンションの非常階段から、家から持ってきた双眼鏡を使い、冴理先生の部屋を覗いた。

「はっ」

思わず、声が漏れた。

望遠レンズが映し出した冴理先生の部屋は——そういう特集があったとしても、テレビでは放映できないだろうレベルの、汚部屋だったのだから。

そして、ゴキブリが這い回るゴミの渦の中では、彼氏ではなく——下着姿の太った中年のおばさんが、テレビショッピングのような番組を、おにぎりせんべいを食べながら見ていた。

この人は、誰だろう。

まるで似ていないけれど、一緒に住んでいるのだから、高確率で冴理先生の家族……。

姉ではない——のだとしたら、母親？

私は、死んだ母にもう一度だけでも会えたら、どんなにうれしいだろうと——きっと心から笑えるようになるのだろうと——そう思って生きていた。でも、こんな母親ならば、いないほうがマシだと思った。

地獄のような光景に、恐怖すら覚えながらも、目が離せなかった。

冴理先生はずっと、この部屋で生きてきたのだろうか。

こんなゴミ箱の中よりも酷い環境で、あんな汚い人と。

いったい冴理先生は、こんな絶望を集めた場所で、どうやってあんなにも美しい景色を描きだしたのだろう。私が灰色の病室のなかで空想を繰り返していたように、冴理先生もそうだったのだろうか。

いけないと感じながらも、私はその日から、毎日のように部屋を覗いた。

おばさんは、部屋から一歩足りともでる様子はなかった。

眠ったり、お菓子を食べたり、テレビを見たり、どこかに電話をしたり、そんなことを繰り返していた。

次第に、このおばさんのことを——冴理先輩が養っているのだと、理解した。

だから、キャバクラなんかで働いているのだと。

――……冴理先生はいま、ちゃんと小説を書けているのだろうか。

茉莉先輩たちから何の情報も回ってこないのは、投稿すらしてないのではないだろうか。高校三年生のとき、小説幻潮が主催する新人賞に、冴理先生がはじめて応募した小説が一次審査を通過したことは、文芸部では武勇伝のようになっている。それから一年が経った今、投稿を続けているのなら、二次審査や、最終選考に残っていてもおかしくない。というより、冴理先生の小説が残っていないなんてありえない。

もしかしたら、このおばさんを養うために、人生を奪われているのではないだろうか。

それでなくてもこんな劣悪な環境のなか、あんな深夜まで働いていては、書く時間を確保できないことは、容易に想像できた。

冴理先生に、お金を差し出すことはきっと簡単だった。

裕福な茉莉先輩に事情を話せば、きっと助けてくれるに違いなかった。それに、先輩である冴理先生をわざわざ家庭教師として雇っている時点で、冴理先生が苦労していることはある程度悟っているはずだった。

でもそれでは根本的な解決にはならない。

冴理先生は、あのトドのような母親から自由になれない。

それに――私自身が冴理先生を助けることにはならなかった。

「最近、この辺、放火魔がでるんやって。こわいねえ」

来る日も来る日も、頭を思い悩ませて、辿り着いた答えはただ一つだった。

私はその深夜、鍵がかかっていないことを確認すると、おばさんが眠っていることを見計らって、開けっ放しのキッチンの小窓を開け——うじゃうじゃと蠢くゴキブリの上に、少量の油と火を放った。

ゴミだらけだったからだろう、部屋はあっという間に火の海となった。

私はいつも通り、向かい側のマンションの非常階段からその様子を眺めた。

罪悪感など、微塵もなかった。

これで——冴理先生が、小説に集中できる。

そう思うと、誇らしささえ湧き上がった。

冴理先生から小説を奪うものは、なんであっても排除しなければならない。

だって冴理先生の小説は、こんなゴミ以下のおばさんの命よりも、きっとこれから、たくさんの素敵な人の心を救うのだから。

高校生になることなく、途絶えていたはずの私の命を救ってくれたのだから。

この世界に、必要不可欠な物語なのだから。

「茉莉先輩、明日、お家に遊びに行ってもいいですか」

春休みの最終日の前日、メールでそう訊ねたのは、私が起こした火事のあと、茉莉先輩が冴理先生と暮らしはじめたことを知ったからだった。そのような展開になってしまったことは悔しかったけれど、どう考えてみても、冴理先生にとってはベストな環境だった。私の出る幕はもうない。ならばせめて、冴理先生が幸せに暮らしていることを、この目で確認したい。そう思った。

「もちろんやよ。天音ちゃんからそんなふうに誘ってもらえるなんて、先輩冥利に尽きるわ」

送信してすぐに、茉莉先輩からは、テンションの高い返信がきた。後輩から慕われてうれしくない先輩などいない。端から断られる心配はしていなかった。

翌日出向いた、出町柳《でまちやなぎ》に聳《そび》え立つその一軒家は、想像以上の豪邸だった。日当たりのいいリビングに通されると、年齢不詳の可愛らしさを纏った茉莉先輩の母親が、金箔《きんぱく》があしらわれた長方形のガトーショコラと、いい香りがする紅茶が注がれたウェッジウッドのいちご柄のティーカップを、硝子《ガラス》のテーブルの上に用意してくれた。

「わあ。天音、ガトーショコラ、大好きです」

特別好きというわけではなかったけれど、私は大げさに言った。いつしか自分のことを名前で呼ぶ癖がついたのは、ユキ姉に憧れた結果だったのかもしれない。

「天音ちゃん。これは『オペラ』ってケーキやねんで」

すると茉莉先輩が、誇らしげに言った。

「へえ……同人誌の名前と一緒、ですね」

「そう。冴理先輩は甘いものに目がなくてね、このケーキの見た目が、まるで装丁に拘《こだわ》った美しい本のようだって、同人誌にもそう名付けたらしいんよ。それにオペラって、仕事とか、作品って意味もあるらしいよ」

そのときようやく——だから、チョコレートのような装画だったのだと、腑《ふ》に落ちた。

そして、目の前のこのお菓子が、途端に特別なものに映った。

「……今日は、冴理先輩はいないんですか」

オペラにフォークを刺してから、訊ねた。もしかしたら、挨拶できるかもしれないなんて——昨日からずっと、ドキドキしていた。

「今日は、図書館で調べものをするらしくて、朝からいないんよ」

「そう、なんですか」

「どんなに遅くても、二十時には帰ってくると思うけど」

「いいえ、ちょっと聞いてみただけなんで、気にしないでください。きゃはは」

がっかりする反面、安堵もしていた。

だって私は、冴理先生のためとはいえ――冴理先生の母親さえも燃やしてしまったのだから。

けれど、結果的に殺人犯になってしまったことへの、罪の意識はなかった。

部活帰り、毎日のようにあの部屋の中を観察していたが、あれは、燃やしてもいいゴミに違いなかった。冴理先生の素晴らしい作品と引き換えに、灰となるのなら、光栄なことだと言い切れた。

それにあの夜――、鎮火することのない炎を見つめる冴理先生の顔には、悲しみが一切なかった。

それどころか、笑っているようにさえ見えた。

やっと、自由を手に入れたのだと。そんなふうに感じているように。

証拠は残らないように気を遣ったが、逮捕される可能性に怯えていなかったわけじゃない。でも、報道を見る限り、放火魔は男性である可能性が高いと、どこの局も謳っていた。

あるいは、私が起こした火事以降、放火が起こっていないことから、ネットでは犯人は冴理先生の母親ではないかという憶測も書き込まれていた。

その要因として一連の放火魔事件により発生した死者は、冴理先生の母親だけであり、犯人も見つかっていないことから、最後に自殺を図ったのではないかということだった。

この一件は、日本を騒がせるような大きなニュースに攫《さら》われて、すぐに終焉《しゅうえん》を迎えた。きっと誰も冴理先生の母親が死んだことを、悲しんでいなかったことにも起因していた。死んだのが、誰もから愛されていた美少女だったら——また違ったのかもしれない。とにかく私が捕まる心配も、疑われる余地さえなかったようだ。

世間と同じく、私自身も、この事件のことを、すぐに忘れていった。

しかるべき日に、ゴミ出しをした。ただそれだけの、感覚だった。


それからしばらく、オペラと紅茶をちびちびと減らしながら、興味もない茉莉先輩の話をはしゃぎながら聞いた。頭では全く別のことを考えていた。一目でいいから、冴理先輩の部屋を見たいと。

「私ね、将来、編集者になろうかなと思ってるんよ」

けれど、オペラの金箔を唇に貼りつけながら、茉莉先輩が言い放ったその言葉だけは、聞き逃すことができなかった。

「小説家を目指していたんじゃないんですか」

それは少し、嫌味にとられたかもしれない。

正直自分のほうが、茉莉先輩より、才能があることは自覚していた。というより、茉莉先輩のほうが感じていただろう。

「私は、読む才能はあっても、書く才能がないって、気づいたから。それに、冴理先輩がプロになったときに、助けになれたら、最高だなって」

やっぱり、茉莉先輩は賢い人だと思った。それが正解だと、誰もが言うだろう夢だったから。

「冴理先輩は……プロを目指してはるんですか」

愚問だとわかりながらも、問いかけた。目指しているなんて、表現から間違っている。

私には、冴理先生が小説家にならない未来なんて、想像もできなかった。

「目指してはるっていうか……絶対にならはると思うから」

「本当に、すごい先輩なんですね」

私は心底同意し、笑顔を浮かべながらも、心の片隅で、煮えたぎる何かを感じていた。

それが、茉莉先輩への嫉妬であることには、まだ気づいていなかった。

「お手洗いを借りてもいいですか」

オペラを完食したあと、白のふかふかのソファから立ち上がって、私は言った。

「玄関入ってすぐの扉やけど、わかる？」

「はい、わかります」

そして——リビングを出てすぐ、私は一目散にその場所へと駆けていった。

勿論、お手洗いにではない。言うまでもなく、冴理先生の部屋へ。

場所はわかっていた。リビングに来る途中、ご丁寧に「ＳＡＲＩ」と書かれたプレートが扉の前にかかっているのを見たから。

ばくばくと鳴る心臓の音が誰にも聞こえないように祈りながら、ゆっくりと、その扉を開けた。

視界に飛び込んできたのは、机に置かれた真っ白なデスクトップのパソコンだった。

あのキーボードで、冴理先輩が物語を紡いでいる——。

一目見るだけに留《とど》めようと思っていたのに、気が付けば、室内へ吸い込まれていた。

知りたくてたまらなかった。

冴理先生がいま——どんな小説を紡いでいるのか。冒頭だけも、読みたかった。

「天音ちゃん、どうしたの？　そこ、冴理先輩の部屋やよ」

その声が背中に刺されたのは、無意識にパソコンの電源スイッチを押そうとした瞬間だった。

「あ……、ごめんなさい。お手洗いと間違えて入っちゃって。天音もパソコン買いたいと思ってたから、つい、触りたくなっちゃいました。きゃはは」

冴理先輩の部屋が玄関から入ってすぐのところにあるということを考慮しても、かなり苦しい言い訳だった。

けれど、パソコンが欲しいと思っていたのは、嘘ではなかった。

「そっか、天音ちゃん今、ノートに手書きで書いてるもんね。冴理先輩、そのパソコン、自分でバイトして買わはってん。偉いよね」

追及されないことにほっとしながら、私はなんだか勝ち誇ったような気持ちにもなっていた。

だって、茉莉先輩は知らないのだとわかったから。

冴理先輩がキャバクラで働いていたことを。

たとえ冴理先輩のことであったとしても、優等生な茉莉先輩が、キャバクラで働いたお金でパソコンを購入したことを「えらい」などと発言するはずがない。きっと家庭教師のバイト代で購入したと思っているはずだった。

つまりそれは――、私と冴理先輩だけの秘密が生まれた瞬間だった。


「お邪魔しました。オペラ、とっても美味しかったです」

私は冴理先生の帰りを待つことなく、最高の気分で茉莉先輩の家を後にした。

バスに乗り、三条京阪前で降りると、駅内のATMでお年玉貯金をとりあえず全額下ろし、新京極《しんきょうごく》の電気街へと歩いた。

言わずもがな、パソコンを手に入れるためだった。ただ欲しいと思って衝動に駆られたわけではない。その日は私の十六歳の誕生日だったから、何か特別なものを買おうと思っていた。

どうせならば、冴理先生と同じ機種がいいと思った。けれど、電気屋で冴理先輩と同じ機種を見ると、四十万近くして、流石に手が出なかった。

貯金を増やそうにも、バイトは父に禁止されていた。死の淵《ふち》に立っていた私が、いま普通高校に通っていることすら奇跡なのだから、当然だった。

けれど私も冴理先生のように、自分だけのキーボードで文字を紡いでみたい。

湧き上がるその想いは、抑えられそうになかった。

結果的に私はデスクトップを諦め、冴理先生と同じメーカーのノートパソコンを購入した。色は勿論、冴理先生と同じ白。Ｗｏｒｄしか使わないのだから、スペックは最低限のもので構わなかった。

それでも当時はパソコン自体が高級品で、会計は十六万（端数は値引いてくれた）。貯金は、三分の二以上、吹き飛んでいった。

けれど、惜しくはなかった。むしろ、最高に有意義なお金の使い方だった。

私は浮き浮きしながら、家路についた。腕の中に抱えていたパソコンは、全然重たくなんてなかった。

17—29

冴理先生が幻潮新人賞を受賞したことを知ったのは、それから丁度、一年後のことだった。

授賞式の写真が載ったネットニュースの記事が、茉莉先輩から送られてきたのだ。

冴理先生がデビューだなんて！　なんという最高の誕生日なのだろう。

その吉報は、今までもらったどんなプレゼントよりも、私の胸を弾ませた。

だってそれは、待ちに待った冴理先生の新作が読めることを意味していたのだから。

しかも、プロになったということは、これからもずっと作品を読み続けられるということだ。

勿論、筆を折ってしまった作家や、売れなくなった作家は、消えてしまう運命にある。

けれど、冴理先輩が小説を書かなくなる日なんて絶対にない。冴理先生がどれほど小説を愛しているのか——それは文芸部に残された欠片を集めているだけで、わかった。

そして、冴理先輩の小説が世間に評価されない可能性などは、考えもしなかった。

大人気作家になる運命しか見えなかった。

けれど、一緒に暮らしている茉莉先輩は、受賞のことを世間に公表される前からすでに知っていたはずなのに、どうしてすぐに教えてくれなかったのだろう。守秘義務のようなものがあるとしても、私を含めた、文芸部の仲間には報告しても罰はあたらないだろう。

私が茉莉先輩への嫉妬心に明確に気が付いたのは、きっとその時だったのだと思う。

もっと、冴理先生に近しい存在になるためにはどうしたらいいのか。

茉莉先輩よりも近くで、冴理先生の支えになるような存在になるには——。

私は本気で、そんなことを考えるようになった。


翌月。私は当然のように一時間目の授業をサボり、受賞作と選評が載っている文芸誌『小説幻潮』を、河原町《かわらまち》まで買いに行った。

『孤独じゃなくて孤高』東山冴理　————91P
目次を見ただけで、心臓が高鳴るのを感じた。なんという、冴理先生らしいタイトルなのだろう。読む前から、期待せずにはいられなかった。

一刻もはやく読みたい衝動に駆られて、三条大橋のスタバへ駆け込んだ。地下の席からは、陽に照らされた鴨川のきらめきが見えた。

抹茶クリームフラペチーノを一口啜ったあと、深呼吸をしてから、91ページを開いた。

そして、ゆっくりと舌のうえで氷菓を溶かすように、その物語を読んだ。

読了後、私は深くため息を吐《つ》き、高鳴り続ける心臓を押さえた。

冴理先生の小説を読んだあとはいつだって、胸が激しく痛んだ。そして同時に、どうしようもなく安堵した。暗闇にいるのは、毒を持っているのは、痛みを知っているのは、自分だけではないのだと。

受賞作は純文学ということもあり、原稿用紙に換算すれば、百五十枚ほどの短い作品だった。けれどこの小説には、主人公の少女にとっての、あまりにも長い人生の痛みが、淀《よど》みなく、取りこぼすことなく描かれていた。

そして勿論のことながら、『オペラ』に掲載されていた小説よりも、ずっと洗練された文章だった。

『孤独じゃなくて孤高』の発売日は秋——、白川通が銀杏《いちょう》並木に変わる頃だった。

私はその日が、どれだけ待ち遠しかったことだろう。

だって、冴理先生が紡ぐ物語の素晴らしさが全国に伝わるのだから。

わざわざ文芸誌を買って、受賞作を読む読者は少ないはずだった。

だからそう、単行本の発売日である十一月二四日こそが、冴理先生の真のデビュー日だといってもよかった。

私はまたもや、学校をサボって河原町の本屋へ出向くと、開店と同時に出陣した。

最も目に入るだろう入口すぐのランキングコーナーには、東野圭吾、伊坂幸太郎などの、名だたる作家の本が並んでいた。どれも、メディア化され、話題になっている本だった。

それまで、どの本がどこに置かれているかなど意識したことはなかった。本屋にある本は、すべて平等だとすら、感じていたかもしれない。けれど、置かれる場所によって、手にとってもらえる確率はまるで違ってくるのだということを、その日はじめて認識した。

どうか冴理先生の本が、目立つ場所に置かれていますように。

私は祈りながら、文芸書のコーナーへ歩みを進めた。

そして――見つけた。

新刊ばかりが並べられてあるレジ前の平台。その一等地に『孤独じゃなくて孤高』が、平積みで積まれてあった。

私は叫びだしそうになるのをこらえて、すぐさま、いちばん上の本を手に取った。

中身が汚れないように、シュリンクがかけられてある。

けれど、二冊目は裸のままだった。

なぜならば――私が手に取ったその本だけが――サイン本だったから。

いっきに鼓動がはやまるのを感じた。

他の本には目もくれず、私は急いでレジへ行き、本を購入した。

開店直後でお客さんは疎《まば》らにしかおらず、おそらく冴理先生の本が目当てだったのは私だけで、競争する必要はなかったけれど、万が一でも、誰にも取られたくなかった。

無駄に息を切らしながら書店を後にした私は、ビルの前で思わず本を抱きしめた。

書籍が発売されただけでも気が狂いそうなほどうれしいのに、まさかサイン本が買えるなんて、想像もしていなかった。

――私は神に愛されているのかもしれない。

そう思わずにはいられなかったのは『孤独じゃなくて孤高』のサイン本が、この世にたった一冊しかないことを、知ったからだった。

冴理先生が、いつも通っている、この書店にだけ挨拶に行ったこと。

サイン本にしてしまうと返本できなくなるため、書店にリスクがかからないように――この一冊だけに、サインを書いたことを。

それは冴理先生本人がツイッターにつぶやいていた情報だから、間違いない。

私は、冴理先生がツイッターを開設してすぐにフォローしていた。

SNSには興味がなかったので、冴理先生のタイムラインを読むために作ったアカウントだった。今もそのアカウントでは冴理先生しかフォローしていないし、冴理先生の本の読了ツイートしか呟いていない。いいねもリツイートもぜんぶ、冴理先生にだけだ。

私は冴理先生がつぶやくと、毎回即いいねをしていた。投稿されると、通知が来る設定にしていたのだ。だからだろう、冴理先生は私のアカウントをいつしか認知してくれていたのだと思う。

想いを込めて投下した読了ツイートに、普段、誰にも反応しない冴理先生からいいねされたという通知を受け取った瞬間といったらもう——皆の前で泣き出してしまい、クラスメイトから心配されるほどだった。

でもそれは、ちょうど卒業式の日、『3月9日』を歌っている最中だったから、誰もそんなことで泣いたとは思わなかっただろう。

18
—
29

高校を卒業した私は、冴理先生と同じ、京大の文学部へと進学を果たした。

この平凡な公立高校から京大へ進学したのは、三年ぶり——冴理先生以来のことだった。どのサークルにも参加しなかったものの、とりあえず一回生にありがちな同じ学科というだけで形成された薄っぺらい仲間に囲まれ、典型的なキャンパスライフのはじまりを体験した。

しかし言うまでもなく、授業を聞いているときも、無理やり参加させられたつまらない飲み会の最中も、私の頭の中は、冴理先生でいっぱいだった。だって、同じ学校に通っているのだから。

だけど冴理先生はもう四回生。真面目な性格からしても、単位はほとんど取り終わっていると推測できた。その証拠に、ただ学校に通っているだけでは、冴理先生の姿を見つけることができなかった。

一週間ほど正門で待ち伏せをしてようやく、水曜日の六限目に、構内で冴理先生の姿を拝むことができることを知った。ゼミに出席していたのだ。

あれから、冴理先生のデビュー作は、当然の如くヒットを遂げていた。本名で活動しているため、活躍している小説家がいるという噂話を、たまに学食で話している生徒もいた。

そんな有名人にもかかわらず、冴理先生はいつも気取らない態度で、同級生と接していた。もしかすると冴理先生は、小説家であることを、自ら言いふらしてはいないのかもしれない。

頭がよくて才能がある上に、謙虚で、優しくて、顔まで美しいなんて――天使なのだろうか。

姿を見かけるたびに、私の気持ちはますます募った。

――一度でいいから話しかけたい。

それでなくても文芸部の後輩である私に、冴理先生は絶対、嫌な顔をしたりしないだろう。

そう確信しているものの、やはり神を前にすると、極度に緊張して、話しかけることなどできなかった。

冴理先生の卒業が近づくにつれ、私は焦った。

このままでは、永遠に接触することが叶わない。

偶然を装って、目を伏せたまま、すれ違うことしかできない。

その年のクリスマスイブ――私は自分の勇気のなさに絶望しながら、オペラを口に運ぼうとした（あれ以来、ケーキといえば、オペラを食べるのが、恒例となっていた）。

これ以上ない名案が天から降ってきたのは、金箔の部分が、唇に張り付いた瞬間だった。

――小説家になれば、同じ土俵に立てば、堂々と冴理先生と話せる機会が来るのではないか。

同じ賞を獲《と》れば、なおさらのこと……。

心のどこかでずっと、茉莉先輩のことが引っかかっていた。

編集者になって、冴理先生を支えたいという夢を告げられた日のことが。

素直に、羨ましかった。私もその道を選びたかった。けれど、茉莉先輩の熱意には敵わないことを知っていた。私の読書量など比にならないくらい、その努力はすさまじいものがあった。

それに私には最初から、編集者になる資格はなかった。

だって、冴理先生の作品以外は、興味がないのだから。私にとっては、小説イコール冴理先生の物語といっても過言ではなかった。

そうしてオペラを食べ終わったとき、私の夢は、固まっていた。茉莉先生と対を張るには――小説家になるしかないのだと悟った。

それに純粋に、小説家という仕事に憧れはあった。

私に生きる希望を与えてくれた冴理先生のような小説家になれたら、それ以上に素敵なことはないだろう。そして、同じ場所から、冴理先生が生きている世界を、見てみたかった。

支えることはできなくとも、痛みを分かちあうことはできるかもしれないと――そう思った。

20—29

すべての元凶は、私が幻潮新人賞を受賞したことだと、もうわかっている。

けれど、授賞式が行われたあの日の私は、当然ながら、こんな結末を迎えることになるとは想像もしていなかった。溢れんばかりの希望で胸がいっぱいだった。

冴理先生に存在を認識してもらえるばかりか、高確率で冴理先生と話すことが叶うかもしれないのだから。

——今日こそ、冴理先生への愛を堂々と誓うのだ。

もはや授賞式は、私にとって結婚式だった。

だから気合いを入れて、ウエディングドレスのような真っ白なワンピースまで着ていった。

髪にティアラまで載せたのはやりすぎというか、若気の至りだったけれど、そういう恥ずかしいことをできるのが若者の特権なので後悔はない。

式がはじまり、偉い人の挨拶のあと、小学生ぶりに賞状というものを受け取った。

それから、促されるままに、マイクの前に立った。

受賞の言葉は、受賞する前から、考えてあった。

「本日、三月三十一日、奇跡的に二十歳を迎えました」

——冴理先生のおかげで。

「奇跡的にというのは大袈裟ではなく、天音はお腹の中にいた頃、病気に冒され、九十九パーセントの確率で死ぬと言われていたのです。けれど、産声をあげることが叶い、この世に誕生しました。ただ幼少の頃からずっと、長く生きることはできないと、言われていました。でも私は今、こうして生きています。みなさんの前に立っています。それは——小説に出会えたからです」

——冴理先生の小説に。

「小説が私の心に希望を宿し、命を救ってくれたのです。だから私はこの命が続く限り、小説を書き続けます。そして小説を愛し続けます」

——冴理先生の小説を。

言わずもがな、冴理先生だけに向けたスピーチだった。


それからパーティーがはじまると、様々な出版社の編集者が列を成して私の前に並んだ。

愛想よく挨拶をしながらも、私は冴理先生の姿だけを探していた。

ようやく姿が見えたのは、人だかりが落ち着いてきた頃だった。

冴理先生は、一心不乱というように、マカロンを食べていた。

嗚呼——なんという尊さ。

私はにやけそうになるのを、必死でこらえた。

そういえば茉莉先輩が言っていた。冴理先生は甘いものに目がないのだと。だから、『オペラ』と名付けたのだと。

次に審査員の先生方への挨拶が終わると、いよいよ歴代受賞者との交流がはじまった。お互い、挨拶しなければならないという決まりはない。だが、ほとんどの作家さんが私の元に激励に訪れてくれた。

それは冴理先生も例外ではなく——、私に話しかけるための列に並んでくれていた。

嗚呼、ついにこの時がきた。

私は冴理先生の眼を、ちゃんと見られるだろうか。

冴理先生は、私にどんな言葉をくれるのだろう。

この気持ちを、千分の一でも伝えられるだろうか。

そんなことばかり考えて、正直、他の歴代受賞者さんと何を話したのか、覚えていない。

そしてついに——冴理先生の順番が回ってきた。

黒いタイトドレスに身を包んだ冴理先生は、大学構内で見かけたときの印象とは違い、小説家としてのオーラのようなものを纏っていた。

「東山冴理です。受賞、おめでとうございます」

冴理先生は、すべてを吸い込んでしまう天体のような黒く美しい瞳で——私の眼をまっすぐに見てほほ笑むと、名前とメールアドレスだけが書かれたシンプルな名刺を差し出してくれた。

「その白のドレス、とても似合っていますね。これからもお互い、小説を愛して、頑張りましょうね」

私の心は透明になっていたのかもしれない。

それはまさに、私が求めていた言葉だった。

「あ…………、ありがとうございます」

けれどあの日私は——、そう返事をし、神の手から、名刺を受け取るので精一杯だった。

あんなにも、脳内でシミュレーションしていたというのに、全くうまく話せなかった。

何もかもが、無理だった。

だってはじめて、冴理先生が私の目を見たのだから。

言葉をくれたのだから。

どうして正常でいられただろう。

私の幸福度は限界を超えていた。

もうこのまま、死んでもいいとさえ思った。

というより——あのときに死ぬべきだったのだ。

執筆業は、何かの間違いではないかと思うほどに順調だった。

白川天音として開設したツイッターは、一年ほどでフォロワーが一万人になり、デビュー作を皮切りに、刊行した本はすべて重版になった。

自分では意識していなかったが、今の時代を生きる若者が求めていた小説だと、評されることが多かった。

「吉本ばななの再来だな」

一部の編集者たちは、そう言って盛り上がっていた。

吉本ばななさんの作品は、ちょうど、授賞式の翌日に、冴理先生が『ＴＵＧＵＭＩ』という小説に感銘を受けたとつぶやいているのを見て、読んでいた。だからこそ、再来なんて言われるのは、烏滸《おこ》がましいと感じていた。『ＴＵＧＵＭＩ』は力強い生と死、そして廃れることのない友情を描いた――圧倒的な作品だったから。

しかし、本当に飛ぶように本が売れ、執筆依頼が殺到していることからも、自分が人気作家になりつつあるのだということは判断できた。

だけど私はそのとき、手放しに喜ぶことができなかった。

突如として大金が入ったことにより、汚い世界を目の当たりにしたことや、評価されるのと同じくらいの酷評も目にして、精神的に摩耗していた。

その頃、冴理先生はスランプに陥っていた。

その様子は、病んだつぶやきからも感じられた。新刊は、もう一年以上刊行されていない。おそらく、デビュー当初のように、評価されなくなったことや、本が売れなくなっているのが原因だったのだろう。

仕事として小説を書くのは、自由に書いていた頃とは全く違う作業であり、喜びだけではなく、苦痛を伴うことを、同じ舞台に立ったことで、私は知ることができていた。いまこそ、痛みを分かちあいたかった。毒を吐きたいだけのレビューや、部数なんて気にすることはないと、励ましたかった。これまで誰も触れなかった部分に焦点を当て、闇の中から抜けだすことではなく、闇を持つことを肯定してくれるような小説は、冴理先生にしか書けないのだから。

けれど、このような状態になってしまった以上、私が何を言っても嫌味になってしまうことだけはわかった。

とある編集者から京都駅のカフェに呼び出されたのは、何もできない自分に、落胆していたときだった。

「天音先生と、東山冴理先生って、大学だけじゃなく高校も母校が同じなんですよね。おふたりの共著とか、面白そうだと思うんですけどね。美人作家同士」

そのセクハラじみた編集者のことは、はっきり言って嫌いだった。

だから折角、東京から京都まで訪ねてくれたが、依頼は受け流すつもりだった。

「共著って、ふたりで一つの物語を作るっていうことですか」

けれどその提案を、聞き逃すことはできなかった。

「そうです、そうです。ふたりで一冊の場合もありますし、話が繫がるような二冊を、それぞれに書くことも可能です。天音先生、読んだことありません？　辻先生と江國先生の『冷静と情熱のあいだ』とか」

私の声色が変わったのを察したのだろう、矢継ぎ早に編集者は答えた。

「……やりたいです。その、それぞれの視点で書く方」

「え、本当ですか？」

「はい。冴理先生が受けてくれたら、最優先で書きます。てゆうか、いますぐに打ち合わせしたいです」

私は前のめりになって言った。共著を書く――それはすなわち冴理先生の新作が読める――それも一番に――ということを意味していた。

別々の方を希望したのは、単純に神の本に自分の名前が入ることが許せなかったからだ。

三日後、共著の依頼を、冴理先生が承諾してくれたという連絡が来た。

交流がなくとも、私が文芸部の後輩であることは、きっと冴理先生もわかってくれている。冴理先生はとても後輩思いだったと、茉莉先輩から何度も聞かされていた。きっと、断られることはない。そう言い聞かせる一方で、授賞式であんな受け答えしかできなかった私を、冴理先生は良く思っていないかもしれないと不安も感じていた。

でも、考えすぎだったのだと、私は安堵した。

それにしても、まさか共著を書けるなんて想像もしていなかった。

いったい、どんな本になるのだろうか。

というよりこれは、現実なのだろうか。

冴理先生からツイッターのフォロー通知が来たのは、興奮で眠れずにいた真夜中のことだった。

はっとして、私はすぐさまフォローを返した。

——なんという失態だろう。

私は白川天音のアカウントで、冴理先生をフォローしていなかったのだ。

冴理先生がデビューしてからずっと、冴理先生専用アカウントで、通知が来るたびすぐタイムラインに駆けつけていたので、全く気が付かずにいた。

何か、これまでフォローしていなかったことの、いい訳のようなメッセージを送るべきだろうか。

いや……、こんな些細《ささい》なことを気にしているのは、きっと自分だけに違いない――そう考えなおし、《冴理先生、フォローありがとうございます。週末の打ち合わせ、どうぞよろしくお願いいたします。白川天音》返信が負担にならないよう、無駄のないDMだけを送信した。

そして週末――指定された池袋のカフェに、冴理先生がやってきた。

編集者には、先に冴理先生と二人で話したいことがあるから、少し遅れてきてほしいと頼んであった。

「冴理先生、先になにか頼みましょう。何にしますか？」

冴理先生が気にしていなかったとしても、授賞式のとき、うまく話せなかったことをずっと後悔していた。だからこそ、この打ち合わせで、絶対に挽回《ばんかい》したかった。

しかし、やはりというか、神を目の前にすると、緊張のあまり心臓が爆発しそうだった。

それでもなんとか、私はいつものように――ユキ姉に教わった通りに、笑ってみせた。

「では……、フルーツパフェにします」

――パフェ。

てっきり、珈琲か紅茶を頼むと思い込んでいたので、その可愛い響きに、なんだか拍子抜けした。でもすぐ、冴理先生は甘いものに目がないのだということを思い出した。

「きゃはは、冴理先生って、やっぱり甘いものが好きなんですね。私もパフェにしようっと」

店員を呼び、パフェを二つ注文した。私が嫌いなブラックコーヒーだったとしても、同じものにしようと決めていた。

それからすぐ、パフェが運ばれてきた。

「いただきましょうか」

「はい」

しばらく、お互いにパフェを食べるだけの時間が流れていった。

話したいことも、伝えたいことも、こんなにもたくさんあるのに。何も言葉にならない。

沈黙の最中、冴理先生がじっと私の顔を見つめていることに気が付いたのは、さくらんぼを齧りながら、何を話そうか――頭を悩ませていたときだった。

「……天音の顔、なんか、ついてます?」

もしかしたら、はりきりすぎて化粧が濃すぎたかもしれない。私はこわごわと訊いた。

「あ、いや。なんだか、甘そうだなって」

すると冴理先生は言った。

「……甘そうって、天音の顔が、ですか？」

「あ、うん」

冴理先生はなにやら気まずそうに頷いた。

私は思わず、顔が赤くなるのを感じた。そんなことを言われたのは初めてだった。

かわいいとか、美人とか、そういう表面的な言葉に、うれしさを感じたことはなかった。

やっぱり冴理先生の表現力は、他の人とは違う。私の心を擽《くすぐ》って離さない。

「それは、最高です」

私は言い、喜びを隠すように、話を続けた。

「あ、そういえば……『オペラ』って、冴理先生がはじめたんですよね」

それはずっと——言いたかった台詞だった。

「はい」

冴理先生は頷いたあと、早口に続けた。

「天音先生が『オペラ』を八百部刷った話、聞きました。賞を立ち上げたりとかも。優秀な後輩がいるなって、思っていたんですよ」

そのとき茉莉先輩が、私のことを冴理先生に話してくれていたことを、初めて知った。

意外に思ったのは、私が茉莉先輩だったなら、私のことなど話さないと感じたから。

だとするなら冴理先生は、ずっと前から、私の名前を知っていたのだろうか。文芸部の後輩だと認識した上で、授賞式に来てくれていたのだろうか。あの時の私の反応を、どう思ったのだろうか。

「それは、部費が余っていたからで、単なる思い付き、です。きゃはは」

私は、この日のために新調したロングブーツの爪先を見つめながら笑った。

はやく授賞式の日のことについて、話したかった。

「私には思い付きませんでした。それに『オペラ』に載っていた天音先生の小説、本当にすごかったです。天音先生が同級生だったら、私、小説を書くの、やめていたかもしれません」

息を吐ききるように、そう言った冴理先生の顔には、なぜか笑みのようなものが浮かんでいた。

「どうしてそんなこと、言うんですか」

いっきに混乱した。どういう意味なのか、わからなかった。

どうして私が同級生だったら、冴理先生は、小説を書くのをやめるのだろう。

冴理先生にとって、小説とはその程度のものなのだろうか。

「……冴理先生は、小説を愛していないんですか？」

気が付けば私は、冴理先生に、そんな質問を投げつけていた。

そしてすぐ、我に返った。

混乱していたとはいえ、なんという暴言を放ってしまったのだろうか。

冴理先生が、小説を愛していないわけがないのに。

そんなこと、私がいちばん、知っているのに。

けれど発言を撤回する間もなく、約束通り、十五分ほど遅れて編集者が現れ、打ち合わせがはじまってしまった。

——どうして私はいつも衝動のままに、後先を考えない言動ばかりしてしまうのだろう。

心の底から自分が嫌になった。

けれど、そういう癖は、どれほど反省したところで意識的に変えられるものではないのだろう。私はその後もずっと、その性格に苦しめられることになった。

そして憂鬱な気持ちのまま、私は練ってきたプロットを、二人に説明した。

冴理先生がスランプ気味だということは百も承知だったので、共著そのものが負担にならないよう、全身全霊をかけて考えてきたのだ。

説明している最中、冴理先生が、先ほどの失言に怒っている気配はなかった。真剣な眼差しで私を見つめ、時折、興味深そうに頷いてくれた。

それでも、生きた心地がしなかった。

パフェグラスの底で、バニラアイスが溶けていく音だけが、静かに鼓膜の内に響いていた。

23
—
29

それから私は、休むことなくキーボードを叩き、一ヵ月足らずで物語の全体像を書き上げた。

一刻もはやく償いたかった。

DMなどで謝ることも可能だったけれど、冴理先生へのこの気持ちは——世界でいちばん尊敬しているのだということは、作品で証明したかった。

《こんなにはやく原稿を仕上げて下さり、ありがとうございます。本当に、言葉を失ってしまうほどに、すごく面白いです。私も、この物語をより良いものにするために、頑張りますね》

だから冴理先生からそう返事が送られてきたとき、ようやく息ができた気がした。

安堵感と、うれしさがこみ上げ、身体が震えた。メールは印刷して、壁に貼り付けた。

それから三ヵ月あまりで、冴理先生から初稿が送られてきた。私はびっくりした。筆がはやい方ではないことは知っていたから。もしかしたら私のスピードにあわせようとしてくれたのだろうか。スランプのなか、この三ヵ月間、ひたすら原稿に向き合って、頑張ってくれたのだろうか。想像しただけで、目頭が熱くなった。

私は原稿を抱きしめたあとで、その宝物のような文章を、一言一句、噛みしめながら読んだ。冴理先生の初稿を読める機会など、滅多にない。否、編集者じゃなければ、読むことはできないだろう。初稿ゆえの粗さも含めて、生々しい冴理先生の文章は、私をますます沼に突き落とした。

修正した原稿を送り、辻褄をあわせるという作業を何度か繰り返し、伏線を回収しあった。表現できないほど、本当に幸せな時間だった。戻れるのなら、あの日々に戻りたいと思う。

そして『五月の薔薇』というタイトルまでも回収するように、五月の末日に、二人の物語は完成した。

私の描いた光を、冴理先生が描いた闇が見事に照らしてくれていた。

そして『五月の薔薇よ昼に咲け』と『五月の薔薇よ夜に咲け』が同時発売されたのは、八月のうだるような暑さの只中《ただなか》だった。

この二冊が売れないはずがない。私はそう確信していた。

少し傲慢な考え方だが、私が宣伝することで、冴理先生の作品の素晴らしさがもっと広まると思うと、自身のＳＮＳでのプロモーションにも一層力が入った。ツイッターでのリツイートといいねは、いつも以上に多く、発売日に近づくたび、私の胸は期待に膨らんだ。

これからは本当に、冴理先生と一緒に、小説家として、支えあいながら生きていけるのだと。


しかしながら――その結果は最悪と言えるものだった。

なぜなら、私の本だけが重版になったのだから。

そんなこと、想像もしていなかった事態だった。

「『夜』だけ売れないなんて最悪なんだけど」

冴理先生がお手洗いで席を外しているとき、落胆のあまり、思わずそうこぼしてしまった。

せっかくの、冴理先生との書店回りだというのに。ふたりで喜びあえることを、楽しみにしていたのに。

書店員さんの前ではどうにか笑顔を作っていたけれど、気を抜くと、涙が溢れそうだった。

当然のごとく、冴理先生のほうも元気を装ってくれてはいるものの、時折、疲れ切ったように息を吐き、表情を失っていた。

「まあ、まだ発売して二週間だから」

反して編集者は、ちっとも深刻そうな顔を浮かべずに、私を宥《なだ》めた。

「もう二週間だよ。こんなことなら、共著なんて書くんじゃなかった……」

二週間も経てば、この先の売れ行きは決まったも同然なのが、この世界だった。

「でも、『昼』は、ちゃんと売れているから」

編集者のあまりの無能ぶりに、大きな溜息が漏れた。

どちらかが売れていれば十分だと思っているなんて、数字しか見ていないこの編集者に任せたのがすべての間違いだった。

「それじゃ、共著の意味がないでしょ」

私は怒りに任せて言い放った。

「才能に差があるんだから仕方ないよ」

後から考えれば、その言葉は、冴理先生に対する侮辱で、さらに怒るべきだった。

けれど私の脳は、冴理先生のほうに才能があるのだからという解釈を、勝手にしていた。

「才能以前の問題だよ。ああ、とにかく本当に最悪すぎる！」

――本当にこの編集者は無能すぎる。こいつのせいで、こんなに最悪な結果になったとしか考えられない。

どうして私の本だけが売れるのか、評価されるのか、心の底から理解できなかった。

勿論、つまらない作品を書いたつもりはなく、冴理先生の名に恥じないような作品を書き上げた自負はある。

ただ今作に至っては、私の小説には、光の部分しか描かれていないのだ。

冴理先生の物語と対にするために、敢《あ》えてそうした。

つまり、冴理先生の描く圧倒的な闇があるから、この作品は成り立っているというのに
──。

冴理先生。

「お待たせしました。昨日から少し体調が優れず、すみません」

あの時、冴理先生は、演技めいた笑顔を浮かべながら、どんなことを思っていたのだろう。

もう私には知る由もない。

その後、企画してもらっていた合同サイン会は、体調不良を理由に、中止にしてもらった。

読者さんや関係者には申し訳ない気持ちでいっぱいだったけれど、私はこれ以上、冴理先生の悲しい顔を見たくなかった。

それから冴理先生が、新作はおろか、ツイッターさえも更新しなくなり、一年という月日が経った。

共著が原因となったことは明らかだった。

評判や売り上げを気にしているはずだった。プロなのだから、当然のことだ。

エゴイスティックな依頼をしてしまったばかりに、冴理先生の助けになるどころか、足枷《あしかせ》になってしまった。今度こそ、支えになりたかったのに。痛みを分かちあうことさえできない。私の心は、絶望感でいっぱいだった。

もしかしたら冴理先生は、私の存在さえも、嫌になってしまったかもしれない。

そう思うと、死にたくなった。

でもそれは、高い確率で当たっていることが予想できた。

あの日以降、冴理先生が私の投稿にたった一度でも反応してくれることはなかったのだから。

――生きています。大阪で暮らしています。

世の中の汚さをかき集めたようなタイムラインに、そのツイートが流れてきたのは、桜が咲き始めた頃だった。

投稿された写真には、道頓堀の象徴であるグリコの看板と、たこやき店が写っていた。

嗚呼、冴理先生！

生存確認できたことに加え、大阪にいるという情報に、私の胸は否応なしに躍った。

そして翌日、条件反射的に、最寄り駅から京阪電車に乗り、大阪へ向かっていた。京都からならば、一時間もかからないのだから、迷っている暇などなかった。

私は冴理先生を励ましたかった。メッセージなどではなく、今度こそ、ちゃんと目を見て、冴理先生の小説が素晴らしいことを伝えようと思った。

会える可能性がないなんて、考えもしなかった。

写真に載っていた店は、ネットを駆使して特定した。

「おっちゃん、たこやき十個」

お洒落なのかボロ布なのか判断がつかない個性的な服を纏った背の高い男性が、こてこての関西弁を放つ。ドラマのような大阪らしい景色に感動しながら、私はその後ろに並んだ。思い返せばそれは、神様の悪戯、いや……思《おぼ》し召しとしか思えないタイミングだった。

「また彼女のとこ、持っていくんか」

「そうや。冴理、ここのたこやき、気に入ってんねん」

——冴理。

その名前だけは、ここが海の中だったとしても、聞き間違えない自信があった。

たこやき屋さんのおじさんと、男性の会話は信じられない方向へ続いていった。

「彼女、なんや、物書き？　なんやろ？」

「ああ。まあ、俺といるほうが楽しいって、最近は全然書いてへんけどな」

「ほお。しかし悪いやつやなあ。嫁さんもろといて、彼女まで作るとは」

「はは。ここだけの秘密にしといてや。心配せんでも、そんな長くは続かんから」

「わかっとる。ワシも昔はモテてな、色々あったさかい」

なんという——なんということになっているのだろう。

動悸がして、倒れそうだった。

直感的に、この作ったような大阪弁を話す男が誰なのか、わかった。

作家の——村田シャープ。

新しい本が出版されるたびに、冴理先生が紹介していた。

だから私は、この男の小説をすべてといっていいほど、読んだことがあった。個人的には、全く好みの小説ではなかったが、どんな小さな記事であっても、本の写真だけのつぶやきであっても、冴理先生が触れた本を読まずにはいられなかった。その本を読んでいるあいだは、冴理先生と同じ時間を過ごしているような気持ちになれたから。

「ほな、またくるわ。おっちゃん、ありがとーな」

そして、焼き立てのたこやきを手に振り返ったその顔は、著者プロフィールに載っていた顔と同じだった。

「お、次のめちゃんこ可愛いおねーちゃん、何個にする？」

私はその声を無視して、村田の後をつけた。たこやきなど食べている場合ではなかった。

さっきのふたりの会話から示されるのは、不倫。それ以外にはなかった。

きっと冴理先生は、ずっと村田のことが好きだった。ツイッターでの、あの推し方からしても、それは容易に想像がついた。

地下鉄に乗り、村田が向かったのは、やはりというか冴理先生の部屋だった。東山という名札がかかっているのだから、間違いない。

赦せなかった。赦せるはずがなかった。純愛ならまだしも、村田は冴理先生を捨てる気で付き合っているのだから。

一刻も早く、引き離さなければいけないと思った。

だって冴理先生は、遊ばれているうえに――この悪魔のせいで執筆が滞っているというのだから。


《こんにちは。はじめまして。突然、ごめんなさい。ずっと前から村田先生の小説のファンで、昨日、先生の作品を読み返して――すごく感動して、一度会ってお話しできないかなと思って、メッセージしてみました。最近スランプ気味で、よかったら色々、小説のことについて語れたらうれしいです。白川天音》

翌日私は、ツイッターで、村田にDMを送った。冴理先生に危害を与えることなく、ふたりを引き離す最も手っ取り早い方法は、これしか思い浮かばなかった。

村田はきっと、私のことを知っているはずだった。

不倫をして、それを周囲に自慢してしまうようなお気楽な男が、私の誘いを断るはずがないと思った。

予想通り村田は、飄々と京都まで足を運んできた。

「そういえば、冴理先生とは仲が良かったんですよね？　実は、私の先輩なんです。面識はなかったんですけど、高校も大学も一緒で」

高瀬川《たかせがわ》沿いのカフェに入り、しばらく雑談をしてから、私は自然な流れで探りを入れた。

「知ってるで。サリンから聞いた。同じ賞出身やんな？　サリンとは、もう何年前になるんかな、一人で上京して心細かったんやろな、なんか妹みたいな感じで懐いてくれて、それから仲ええよ」

村田は、濁すことなく、すらすらと答えた。

「きゃはは、そうなんですね。いまでも会ったりしてるんですか？」

冴理先生が私のことを話してくれていた。この男への憎しみに混じってうれしさが込み上げる。

「たまに、たこやき一緒に食ってるよ」

それだけではないくせに。

「そっか、そういえば冴理先生はいま、大阪に住まれているんでしたっけ」

私は煮えたぎる感情を抑えながら言い、村田の眼を見つめた。

いったい――冴理先生は、この男のどこが好きなのだろう。特別、恰好いいわけでも、スタイルがいいわけでもない。それどころか、なよなよしていて、頼りなさそうで、何だか小汚い気すらする。小説の良さと同様に、冴理先生の好みは、ちっともわからなかった。世の中にはもっと、冴理先生に相応しい相手がいると信じて止まなかった。

「そうそう、去年の冬から。天音センセもサリンと仲ええん？　共著とか、出してたし」

それは、村田なりの詮索だったのだろう。

「それが、あんまり喋ったことなくて。共著も、仕事でご一緒しただけで」

私は言った。嘘ではなかった。思えばさっきの村田の発言も、嘘ではなかった。

「そっかあ、ええやつやで、サリンは」

話していると、この男はよくも悪くもバカ正直なだけなのかもしれない。そう思った。もしかしたら、そういう関係になっていることにも、悪気はないのかもしれないとさえ。

「そうなんですね。そんなふうに言われるくらい、私も村田先生と仲良くなりたいです」

クリームソーダのアイスの部分を掬《すく》って食べてから、私はそう言って、とびきりの笑顔を村田に振りかけた。

そこからはもう、バナナの皮を剝《む》くのと同じくらい、簡単だった。

たった一年足らずで、村田――嬰はすべてを捨てて、私にプロポーズしてきたのだから。十万円もしない安い婚約指輪を受け取り、「うれしい」私はそう笑った。勿論それは、冴理先生が悪夢から醒《さ》め、また作品を書いてくれるであろうことがうれしかったのだ。

――冴理先生から小説を奪うものは、なんであっても排除しなければならない。

あの夜、火を放ったことに比べれば、結婚なんて紙切れ一枚のこと。

そんなことで、冴理先生がまた執筆に集中できるのなら――安いものだった。

26―29

間もなくして、私は身籠った。

セックスだけが、夫婦関係を繋いでいたのだから、それは必然的な出来事だった。

そういう行為をしたのは、はじめてではなかった。痛いとも、気持ちいいとも感じなかったけれど、心の底から求められれば、身体を差し出すことに抵抗はなかった。

セックスの最中、男たちは、息をするのも忘れるように夢中で私を求めた。それがうれしかった。裸になった瞬間、汚れた言葉が、反対の意味になった。それが面白かった。

そして単純に、生きている感じがした。私にとってセックスは、自分の生存確認のような作業だったのかもしれない。

だから、何度身体を重ねたとしても、嬰のことを好きにはなることはなかった。

村田シャープの書く小説も。

編集部に頼み、文芸誌に発表させた小説は、冴理先生への罪滅ぼしになる予定だった。きっとあのタイミングなら、冴理先生のことを書くだろうと思った。そうすれば、二人の恋が小説のなかでは永遠のものになることを、冴理先生は喜んでくれると思った。

けれど仕上がった原稿には、誰でもない、想像上の人物の――ネットに書き込まれた恋愛相談のほうがマシといえるほどの、陳腐な恋物語が綴られていた。

私は、ため息と共に途中で読むのをやめた。感想も言わなかった。心底、がっかりしていた。

嬰はそれからもう小説を書いていない。きっと、評価されることがこわかったのでも、才能がなくなったのでもない。きっと嬰は、知ってしまったのだと思う。文学になるようなセンチメンタルな気持ちは、年齢と共に朽ちていくこと。そして、小説に書いても、痛みも、思いも、罪も、何もなくならないことを。


けれど、それでも、私はあの日のことを、この手記に書いて、懺悔《ざんげ》するべきなのだろう。

あの日私は——ある目的を持って、欠席するはずだった舞衣先輩の結婚式に、タクシーを飛ばして向かった。

到着すると、式場の前にはちょうど、文芸部のメンバーの姿があった。

「舞衣先輩！」

その名を呼んだのは、何年ぶりのことだっただろう。

「あ……天音ちゃん！　まさか来てくれるなんて、びっくりやわ。欠席の返事もらったから、忙しいんかなって思ってたんよ」

舞衣先輩は、すぐに駆け寄ってきてくれた。

赤の打掛姿が、とても眩《まぶ》しかった。素直に、羨ましいという感情がわき上がった。私は結婚式を行わなかった。いわゆる略奪婚であることに加えて、神様に誓う愛など、持ちあわせていなかったからだ。

「この子、いつ生まれるかわからへんかったから……。でも、一目だけでも――、会いたくて」

そう。私はどうしても――冴理先生に会いたかった。

生まれたばかりの我が子を、冴理先生に見てもらいたかったから――。

妊娠中、好きでもない人との子供を愛せるか、不安がなかったといえば嘘になる。

いま思い返せば、なんというちっぽけな悩みだったのだろう。産声を聴いた瞬間、顔を見る前から、当たり前のように、この世で最も大切な存在になった。というよりも、お腹の中に宿っていることを知ったときから私は、この子のことを守ると決めていたのに。

四六時中、寝顔を見つめた。小さな手を握ると、きゅっと力を込めて、握り返してくれた。

冴理先生が小説を書いてくれたおかげで、私は命を留め、命を繋ぎ、こうして新しい命が生まれた。

私は、この奇跡を、この素晴らしい気持ちを共有したかった。誰でもない冴理先生と。

「天音先生も、結婚おめでとうございます」

そしてそれは、他愛もない雑談が終わったあとだった。

冴理先輩が、授賞式ではじめて出会ったときのように、私にそうほほ笑みかけてくれた。

冷静に考えれば、愛する人を奪った私を、憎んでいるはずだった。

それでなくても共著の一件で、冴理先生は私のことを避けていたのだから。

「ありがとうございます」

しかし私は、そんなことまで頭が回らなかった。久しぶりに冴理先生の顔を見られたうれしさと、我が子を披露できた喜びが、全てを上回った。

「本当におめでとう、天音ちゃん。じゃあ、私たちはタクシーに乗るので、ここで」

茉莉先輩はきっと必死に、私の悪魔のような無邪気さから冴理先生を守ろうとしていたのだと思う。

「あの、冴理先生、お願いがあるんです」

でもあの日、私はどうしても、命を懸けてでも、頼みたいことがあった。

「なんですか?」

「よかったらなんですけど……この子に名前をつけてくれませんか? 夫が、冴理先生と仲が良かったから、そうしてほしいって」

説明するまでもなく——それは口実だった。

私が名付けてほしいなどというのは、不審がられるに決まっている。だったら、嬰が望んでいると言ったほうが、よっぽど筋が通ると考えた。

冴理先生は一瞬驚いた顔をしたものの、少しだけ悩んでから、口を開いた。

「じゃあ………カノン」

私は歓喜した。

「カノン……最高です！　きゃはは」

漢字は、きっと花音——。

天音の音をとって、つけてくれたのだと思った。

「気に入ってくれてよかったです。どうか末永くお幸せに」

——花音。

なんていい響きなのだろう。

生まれたばかりのちいさな命を抱きしめながら、涙がこぼれた。

一言でいえば、産後でハイになっていた。あのとき、冴理先生の気持ちを考えることが、私にはできなかった。

それどころか、私の心は、神に名前をもらったうれしさでいっぱいだった。

27—29

だからこれは——罪なのだろう。

花音を生んでからというもの、私の体調は、少しずつ、けれども着実に悪化していた。

そんな中、新婚旅行という名目で、ウィーンまで飛んだのは、聖地巡礼のためだった。

文芸誌に掲載されたときにも読んでいたが、その年の春に短編集として刊行されたうちの一篇『エリの叫び』の舞台になっていたのだ。

思惑通りというか、村田——嬰と別れてからの冴理先生の活躍は凄《すさ》まじかった。

小説自体にも、磨きがかかっていた。冴理先生の文章の良さを残しつつも、これまでの心情描写に特化した作品とは違い、エンタメ性が段違いに意識されていて、才能が覚醒したという表現が最も相応しかった。

『エリの叫び』はミステリ小説といえる作品で、おそらく音楽家の天才モーツァルトに対するサリエリの嫉妬をモチーフにしていた。

冴理先生がウィーンに取材に行ったのかは、わからない。ＳＮＳにはそのような形跡はない。けれど小説からは、確かなウィーンの匂いが漂ってきて、読み返すたびに、訪れてみたいという想いが、募っていった。

作品には、ヴィーナスの乳首というお菓子が度々登場した。どんなお菓子なのか気になって調べると、関連してサリエリが大の甘党であるという情報が表示された。

そして関連記事を飛び回るうちに、ある噂に辿りついた。モーツァルトの死にサリエリが関わっているのではないかという噂だ。それはおそらく、冴理先生の小説がミステリになっていることにも繫がっていた。

死の真相は今も闇の中だが、モーツァルトとサリエリ、二人の人生が、創作と共にあったという事実だけは、どの記事を見ても揺るがなかった。そこには、この世の喜びと地獄のような苦悩があり、その果てに傑作と駄作があった。

調べれば調べるほど、冴理先生がこの題材を選んだ意味が見えた。才能があるからこそ、普通に生きることが難しくなるのだということを、冴理先生は伝えたかったのだと思った。

「天音ちゃん、ここは世界で最も美しいカフェって言われるんやで」

嬰は小さい頃、家族でウィーンに来たことがあるようで、観光スポットに降り立つたび、そうやって得意げに説明してくれた。そういう生き生きとした姿を見るのは、セックス以外では、はじめてだったかもしれない。

「へえ、すごい」

けれど私は、念願のヴィーナスの乳首を食べながら、上の空だった。

誰かに預けることは気が引けて、花音を連れてきていたから、とても疲れていたのもある。

でも、私の心を暗くさせているのは、それが原因ではなかった。産後から感じていた体調の悪化を、実感せずにはいられなかったのだ。

それまでは、精一杯元気なふりをして、自分を騙していた。辛《つら》くとも笑っていれば、また奇跡が起こって、病院には行かずとも、自然と治癒していくことを期待していた。けれどこれはもう、そういう段階ではないのだと、調べてもらわなくても理解できた。

だから本当は、これが最後の旅行になると、わかっていたのかもしれない。だから、花音を連れてきたのかもしれない。そう。わかっていたのだ。大人になったときに、何も覚えていなかったとしても、花音にこの異国の匂いを与えたかった。いつか『エリの叫び』を読んだときに、この地に私と一緒に来たのだということを、思い出してほしかった。

こんなにも私に愛されていたことを。

疲れが祟ったのだろう、旅行から戻ったあと、私の体調は急激に悪化していった。病院に連れていかれないよう、嬰には執筆のストレスだと言い張った。私は、苦しさを紛らわせたいがために、毎日お酒を飲んだ。その結果、アルコール依存症のようになり、家事も思うようにできず、生活はどんどん荒《すさ》んでいった。元々、片づけが下手なのも相まって、部屋はおもちゃ箱をひっくり返したかのような惨状だった。

「なあ天音ちゃん、淋しいから一緒に寝よう」

眠る前、嬰は「おやすみ」の代わりに、そう言った。

淋しい——きっとそれは、私に愛されていないことにではなく、誰からも愛されていないことに対してだった。

巻き込んでしまったことに、罪の意識がなかったわけじゃない。けれど、嬰が何を思って生きようが、私には関係のないことのように思えた。それに、元はといえば、冴理先生を弄んだ罪なのだ。

「いい子、いい子」

しかし、もはや嬰一人を責めることはできない。結婚は紙切れ一枚だったかもしれないが、一年以上一緒に暮らせば、私たちはもう家族だった。私はせめてもの罪滅ぼしに、嬰が眠るまで、髪を撫で続けた。

知っていた。誰かに愛されていないと、生きていけない男だということを。亡くなった母親の影を、いつまでも追い続けている悲しい子供だということを。いつも心が、淋しさでいっぱいなのだということを。

「こうやって頭撫でられんのが、いちばん好きな時間や」

だから泣きそうになるのは、嬰のことを愛しているからではなかった。

「天音先生。私と一緒に、小説を作りましょう」

もしかしたら、人生のすべては奇跡でできているのかもしれない。茉莉先輩からそう言われたのは、花音が二歳の誕生日を迎えた頃だった。

茉莉先輩は、高校生の頃に打ち明けてくれた夢を叶え——立派な編集者になっていた。

この部屋の惨状と、私の衰弱具合を見たからだろうか、他の仕事をしなくてもいいように、印税を二倍にしてもらうよう、上にかけあってくれると、茉莉先輩は言ってくれた。

そんなことが不可能なことくらい、わかっていた。

でも私は、縋るように頷いた。

家賃に加え、おそらく淋しさから始めたのだろうソーシャルゲームに嬰が重課金をするようになり、私も執筆が捗《はかど》らないストレスと、病への恐怖からか、それとも服を燃やした呪いなのかネットで服を買い漁るのが癖になってしまい、お金はいくらあっても足りなかった。

これ以上なく廃れた私たちの生活環境を見て、茉莉先輩は率先して掃除をしてくれたり、花音の面倒を見てくれたり、時には料理まで振舞ってくれた。それは、打ち合わせのたびに編集者たちが連れて行ってくれた東京のどんな高級店の料理よりも、温かな味がした。

別れ際には必ず、私の手を握りしめて「できることはなんでも協力するから」と、力強い言葉をかけてくれた。

ライバル視していたことが恥ずかしくなるほど、茉莉先輩は本当に人間のできた、いい人だった。

茉莉先輩ならば、冴理先生のことを、きっと幸せにしてくれる。

どんなスランプに陥ったとしても、冴理先生を原稿の上まで掬い出してくれるだろう。

寝付けない夜は、そんなことばかりを考えていた。

死がそこまで迫ってきていることを、私は誰にも告げなかった。ユキ姉にすら。

ユキ姉は京都で、幼馴染で元ヤンの優しい男と結婚して、絵に描いたような幸せな家庭を築いている。私が病気だと知ったら、ユキ姉はきっと何もかもを放り出して、助けに来てしまうだろう。だから、言えなかった。

もう私の人生を、背負わせるような真似はしたくなかった。

それでなくとも『オペラ』に出会わせてくれたユキ姉には、感謝してもしきれない。

でも叶うのなら、最後にもう一度だけあの真夏みたいな笑顔が見たい。

なんて。

29 — 29

この手記を綴りはじめてから、一ヵ月が経った。

手記を書いているあいだ、過去を振り返りながらも、私はあなたのことばかり考えていた。

私はやはり、あなたにこの手記を見つけてほしいと願っているのかもしれない。

いや、違う。あなたがいつか、これを読んでくれることが、私の最後の希望の光にさえなっている。

他の誰でもない、私の娘であるあなたに、誰にも隠してきたこの気持ちを知ってほしいと感じているのだ。

私はなんて残酷な母なのだろう。あなたに、何もしてあげられなかった上に、この情けない生涯を受け止めてもらいたいなんて。

自分でも呆れてしまう。

だから、こんな結末を迎えてしまうのだろう。

「天音ちゃん。私、一旦帰るけれど、すぐに戻ってくるから。こんなときになんだけれど、どうしても渡したいプレゼントがあることを思い出したの」

それは、つい昨日のことだ。急な発熱に、忙しいなか駆けつけてくれた茉莉先輩が、冷えピタを交換しながら言った。

「きゃは、なんだろう。天音、楽しみに待ってますね」

そんなのいいから傍にいて欲しい――そう言いたいのを堪えて、私は言った。

けれど茉莉先輩のことだから、何か特別な考えがあるのだろうということは、高熱に冒されていても、理解できた。

「そう、楽しみにしていて。じゃあ、それまでおとなしく眠っていてね」

「うん。茉莉先輩、いつも本当にありがとう」

もしかしたら、茉莉先輩が戻ってくるまでに死んでしまうかもしれない。

私は無気力にスマホを手繰り寄せ、モーツァルトの『別れの歌』という楽曲を選択して流し、目を瞑《つぶ》った。

最後まで嬰のことは好きになれなかったけれど、嬰がいつも流してくれたモーツァルトの音楽だけは、とても好きだった。

そして音楽に身を委ねている途中で、はっとして、ようやく気が付いた。

冴理先生も――そうだったのだと。

嬰の影響でモーツァルトを知り、『エリの叫び』を書いたのだと。

それは思わず笑ってしまうほど、確信めいていた。

どうしていままで、気が付かなかったのだろう。

あの作品は、冴理先生なりの、嬰への最後のラブレターだったのだ。

溜息が漏れたのは、そこまで冴理先生に愛された嬰が、羨ましかったからなのかもしれない。

「はあ」

嬰はいま、取材という名の、不倫旅行へ出かけている。

咎《とが》める権利など、私にはない。それどころか、もう何年も小説を書いていない売れない小説家が取材だなんていう、ばればれの嘘を平然とつく嬰が、もはや可愛かった。

思い返せば、嬰はいいやつだった。バカがつくほど、嘘のつけない、実直な人間だった。

辛いことがあっても、表立ってネガティブにはならず、飄々としていた。

花音とよく遊んでくれた。いい父親だった。

私がどんな失敗をしても、怒らなかった。一度も非難することなく、優しくしてくれた。

愛することはできなかったけれど、冴理先生が、嬰を愛した理由だけはわかった。

もしも、冴理先生と嬰が結ばれていたら——どうなっていたのだろう。

冴理先生も嬰も、いまよりずっと幸せになっていたとしたら。

もしかしたら——私はただ、冴理先生をとられたくなかっただけなのかもしれない。

そんな罪深い感情だけで、ここまで生きてきたのかもしれない。

それから、音楽に包まれながら、しばらく眠っていた。

ガチャリと、玄関のほうから聞こえきた物音で目が覚めた。

私は酷い悪夢から覚められたことに安堵しながら、茉莉先輩が戻ってきてくれたのだと思い、なんとかベッドから体を起こした。

「天音先生、こんにちは」

――まだ夢を見ているのか。

あるいは、もうここは死後の世界なのかもしれない。

そう錯覚してしまうほど、目の前の光景を信じることができなかった。

なぜなら、寝室に顔を出したのは――冴理先生だったのだから。

「茉莉、どうしても抜けられない仕事があって、迷惑かと思ったんだけど、心配で、様子を見に来たの。すごい熱だって言うから」

そのとき、私にはすぐに、わかった。

これは茉莉先輩が仕向けた――いいえ、用意《プレゼント》してくれた時間なのだということに。

直接問われたことはない。

けれどきっと――茉莉先輩だけが、私の気持ちに気づいていた。

冴理先生への、恋も愛も超えた憧れの気持ちに。

だって私と茉莉先輩は、高校生の頃からずっと同じ気持ちで生きてきたのだから。

「そ、そうなんですか……ほんとうに、びっくり……です」

いまにも心臓が口から出そうだった。

しかし混乱しながらも、おそらく私の顔は喜びを隠しきれていなかった。

こんなときでさえも、部屋を掃除していない部屋や、すっぴんで、こんな下着みたいなパジャマを着ていることが、恥ずかしくてたまらなかった。

「急に訪れて、ごめんなさいね。それで、体調はどう？」

「……え、あ、ずっと……微熱気味、だったんですけど、昨日から悪化して、熱が下がらなくて……」

私はたどたどしく言った。具合が悪いのは事実だったけれど、それは半分、演技だったかもしれない。冴理先生に心配されたかったから。

「病院についていきましょうか？」

その成果だろうか、冴理先生は、本当に私を心配した様子で、そう訊いてくれた。

私は首を振った。

「それは遠慮します。……病院は、嫌いなんです。家で寝ていれば治ります」

病院へ行くべきなのは重々わかっていた。けれど、あの硬いベッドの上でだけは死にたくなかった。どんなに苦しくとも、この自分のふかふかのベッドで、花音を抱きしめながら死にたいと、そう思っていた。

「原稿、書いていたの……？」

冴理先生は、Ｗｏｒｄの画面を見て言った。そういえば、枕元に置きっぱなしにしていた。十年前、冴理先生に憧れて新京極の電気屋で買った真っ白のノートパソコンは、私と同じ、もういつ寿命を迎えてもおかしくなかった。

「はい。あと……エピローグだけなんです。明日、茉莉さんと約束した〆切で」

本当は、〆切なんて、なかった。茉莉先輩は、納得のいく作品になるまでいつまでも待つと、言ってくれていた。

「よかったら、手伝いましょうか」

私はきっと、そう問いかけてもらえることを期待していた。

「喋ってくれたことを、私がキーボードを打つだけよ。あとで推敲すれば、〆切に間に合うでしょう」

――叶うのなら一日中、冴理先生の隣で、執筆する姿を見ていたい。

それが、私の夢だった。

「……それは――……最高です」

涙をこぼす代わりに、私は笑みを浮かべた。

それから私は、回らない頭でエピローグを話し続けた。

いつものように、音楽を奏でるように。

最後の一文を演じたあと、何も告げていないのに、冴理先生が、溜息のようにそう漏らした。

「……すごい、大作ね」

他の編集者と仕事をしているときには見たこともない量の、茉莉先輩の的確な赤字は、私の物語を何倍もよくしてくれた。こんな大作は、絶対に一人では書けなかった。

「茉莉さんの指示が的確なおかげです……私、一人では書けませんでした」

そして、これまでの私には書けなかった、きらきらした夏の海辺を散歩するだけではない、歯がゆい現実を生きているからこその素晴らしさに気づき、描写できたのは、花音が誕生したからに違いなかった。

「……何言ってるの、天音先生は天才じゃない」

私が天才——？

「……そんなわけないです。神には敵いません」

天才は——あなた。

「神？」

「あ……、えっと、私がいちばん尊敬する先生のことです」

誰でもない――東山冴理先生のことです。

「そう。でも私は、天音先生の小説に、何度も救われたわ。私には書けない希望の物語に」

それは丸ごと、私の台詞なのに。

どうして冴理先生は、自分が、誰かにとっての希望の物語を書いていることに気づかないのだろう。

あなたが十七歳のときに書いた物語が、私の命を救ってくれた。

私も冴理先生みたいな小説家になりたいと思った。

誰かの魂の灯火になるような、そんな物語を書ける人に。

けれど私はいつしか、その目標を、見失っていたのかもしれない。

「私……、冴理先生に嫌われてると……思ってました」

最後の時が、刻一刻と、迫ってきている。

だからなのか。勝手に溢れはじめた涙を、止めることはできなかった。

「――どうして。後輩なのに、嫌うわけないでしょ。むしろファンなのよ。あなたが世に出した小説は、ぜんぶ読んでる」

それはきっと、演技だとわかった。

だけど、否定してくれただけで、充分だった。

「そうだ。来月、新刊がでるの。今日、見本誌が送られてきてちょうど一冊持ってるから、よかったらもらってくれる？」

――『いつか君を殺したかった』

予期せず、手渡されたその新作は、いつになく攻めたタイトルの本だった。

「……私に……？」

もしかしたらこの本こそが、プレゼントだったのかもしれない。角春出版とくれば、この本は、茉莉先輩が編集しているに違いなかった。

「ええ、こんな弱小作家の小説で申し訳ないけど、読んでくれたらうれしいわ」

そんなふうに謙遜しているけれど、きっとこの作品は――自信作なのだろう。冴理先生の表情を見ればわかった。

「あの……サイン、入れてくれますか……」

――冴理先生は知っているだろうか。

「え？」

「できたら……、為書きで、白川天音と」

私だけが、冴理先生のサインを、デビュー作からすべて、揃えていることを。

「カノンちゃんを、一晩だけ、預かりましょうか」

帰り際のことだった、一人おとなしく、遊んでくれていた花音を見て、冴理先生が言った。

「……え、でも」

私は花音を抱きしめながら、眠りたいと思っていた。

けれど考えてみれば、嬰もいない中、いつ死んでしまうかもわからない私と二人で眠るのは、危険以外の何物でもなかった。

「大丈夫。家には茉莉もいるから、安心して」

その一言で、私は覚悟を決めた。

「じゃあ、お願いしてもいいですか……」

冴理先生に見てもらえる上に、茉莉先輩がいるのなら、これ以上の環境はなかった。

「もちろんよ、そんな状態で執筆して、疲れたでしょう」

私は頷いた。

疲れていたのは事実だった。

嘘だらけの結婚生活にも、慣れない子育てにも、思うように進まない執筆にも、東京にも。

東京に越してきたのは、仕事がし易《やす》くなるからという理由だったけれど、本当は冴理先生と嬰が出会った街に憧れていただけだった。でも憧れは、憧れのままのほうがよかった。

壁一面の大きな窓から見える景色は、コンクリートの建物ばかりで、見ているだけで息が詰まった。なんてことない景色だった鴨川のきらめきが恋しかった。

「じゃあ、花音ちゃん、行きましょうか」

ベッドに横たわった私に布団をかぶせてくれたあと、ちいさな花音の手を、冴理先生の手が、やさしく繋いだ。

そのとき、花音は、本当は、冴理先生から生まれてくるべきだった命のような気がした。

「冴理先生……本当にありがとう」

こんな終盤になって――ずっと言いたかった言葉を、やっと言えた。

「気にしないで。ゆっくり眠って」

冴理先生は、まるで聖母のように、そうほほ笑んでくれた。

さあ――ここからが、本当のエピローグ。

降り始めた雨の音だけが響く部屋で、私は冴理先生の新作を読んだ。

茉莉先輩が編集したのであろうその物語は、冴理先生の集大成といってもいい完成度だった。

傑作という言葉が相応しい小説だった。

もう心配しなくても、飛ぶように売れるだろう。

この作品を皮切りに、冴理先生は大人気作家になるに違いなかった。

素晴らしい結末の余韻に浸りながら、私はベッドから立ち上がり、死ぬ準備をはじめた。

気づいてしまったから。いや、違う。本当はずっと気づいていた。

けれど、この作品を読んで、ようやく、本当の意味で、わかった。

もはや、私が生きていることが――冴理先生にとって、小説が書けない原因になっていたのだと。

冴理先生は私を――殺したいとさえ、思っていたのだと。

振り返ってみれば、当然の感情だった。

結果的に私は、冴理先生のすべてを奪ったのだから。

それなのに冴理先生は、私のことが嫌いじゃないと、答えてくれた。

この子に名前を与えてくれた。

私の小説を称《たた》えてくれた。

私はマンションの受付に電話をすると、コンシェルジュに来てもらい、冴理先生宛に書いた、手紙を託した。高い家賃を払って、タワーマンションに住んでいてよかったと思ったのは、これが最初で最後だった。

それから、冴理先生のツイートを見るために作った《雨》のアカウントで、読了ツイートをした。まだ発売されていない小説の感想を呟くなんて、規則違反だったかもしれない。けれど最後に――私が、白川天音こそが東山冴理のいちばんのファンなのだと、気が付いて欲しかった。

自分の名前が書かれたサインを撫で、深呼吸をしてから、私は常備している睡眠薬を大量に口に含み、新作を抱きしめながらベッドに横になった。

自死せずとも、近々には消える命だった。

だけど、冴理先生から小説を奪うものは、なんであっても排除しなければならない。

ずっとそうしてきたのだから、自分だけを、赦すわけにはいかない。

だいじょうぶ。

死ぬことは、こわくない。

死が来ることは、少女の頃から知っていた。

ただもう、花音をこの腕に抱きしめられないことが、もう二度と、冴理先生の小説を読めないことが——、死ぬよりも悲しい。

前　奏
Prelude

手記の内容を語ってくれたあとで、花音は泣き崩れた。

私は立ち上がり、花音に寄りそうと、手を強く握った。

「花音、ごめんなさい」

あんなに小さかったその手は、すっかり大人の形をしている。

「ずっとあなたに謝りたかった。私は、酷い小説を書いた。いちばんのファンを殺したいなんていう、酷い小説を」

いつも手紙をくれていた雨さんが天音だと気が付いたのは、自死から一カ月後のことだった。

その日、ふと、どんな病んだ内容のツイートにもいいねをくれていた雨さんが、全く浮上していないことに気づいた。

私は心のどこかで、活躍を遂げた私の姿を、雨さんがいちばん喜んでくれるものだと思っていた。小説の内容も、絶賛してくれるに違いないと、感想を楽しみにしていた。

もしかして、飽きられてしまったのだろうか。

こわごわと雨さんのタイムラインに飛ぶと、一番上に『いつか君を殺したかった』の読了報告があった。

今作にはものすごい反響があったから、エゴサーチで見落としていただけだったのだと安堵したのも束の間だった。

私は気が付いた。

それが、発売一ヵ月前の投稿だということに。

せいぜい二日前ならば、書店に並んでいることもあるだろう。

けれど一ヵ月も前に手にすることができたのは、私と茉莉以外にはただ一人しかいなかった。

丁度そのとき玄関のチャイムが鳴り、示し合わせたように、出版社からの荷物が届いた。

受け取った段ボールには、かつてない量のファンレターが入っていた。

夢のような光景に圧倒されながらも、私は一心不乱に、雨さんの手紙を探した。

不安を他所《よそ》に、雨さんの手紙は、ちゃんと届いていた。

便箋は、異国で買ったものだろうか、破るのが勿体ないと思えるほどに、美しいものだった。

痛いほどに、胸が震え出す。

封を切ると、手紙にはいつも通り、私の小説を絶賛してくれる文章と――その命が、もう僅かであることが書かれていた。

そして差出人の住所は——あの日、私が天音の元へ駆けつけるために、茉莉がメモ用紙に書いてくれたその場所だった。

「……私の小説が、雨さんを——天音を死に導いてしまった」

あの小説を読んで、天音は絶対に気付いたはずだった。

私が天音を殺したいと感じながら生きていたことを。

「それは……そうなのかもしれません。でも、冴理先生のせいではありません。母はきっと、自分の物語を、最高のシーンで終わらせたかった。私にはわかるんです。それに、私の母は決して許されない罪を犯しているのだから……、謝らなければならないのは私のほうです」

花音は自らの手の甲で涙を拭いながら、ようやく口を切った。

「……あの日、家を燃やしたのが、天音だったなんて思いもしなかった」

責めるわけではなく、私は言った。

「本当に、ごめんなさい。どうやって償えばいいのか、ずっとわからなくて……私こわくて」

「花音、顔を上げて。あなたが謝る必要も償う必要もないわ。だって私は……天音の手記の通り、あの日、家が燃えてうれしかったのだから。これでようやく自由になれるって、そう思ったの」

いつも、いつも、願っていた。

ゴミ屋敷の中で眠りながら、朝目覚めたら、母が死んでいたらいいのにと。

だから天音が、あの地獄のような部屋を燃やしてくれなければ、私はきっと小説家になれないままだったろう。幸福も不幸も知らない人生で終わっていたはずだ。

「私は……天音に感謝しなければならなかった。私の小説を愛し続けてくれたことを」

茉莉が編集した天音の遺作『レクイエム』は、天音の死後に発売された。

死の悲しみも相まって、それは空前の大ヒットを飛ばし、いまもベストセラーとして読み継がれている。

あの時、もう嫉妬はしなかった。天音がこの世にいないことに加え、自分の本が売れ続け、評価されたからに違いなかった。

私は本棚から『いつか君を殺したかった』を手に取った。

これは間違いなく、天音を殺したいという気持ちで書いた物語だった。

天音さえいなくなれば、私の世界は輝きだす。そう、思っていた。

けれど、正反対だった。

光があるからこそ、闇が生まれる。

——天音という光がなければ、この小説を、書くことはできなかった。

「……花音、お父さんは、元気」

小説を棚に戻し、私は言った。

「は、はい。母が死んですぐ再婚して、いまでもその人と暮らしています。ずいぶん年上なので、介護とかは大変そうですが……、楽しそうです」

「相変わらずね」

「母親みたいに、甘えさせてくれる人が好きなんです。何歳になっても、子供みたいっていうか。結婚しなくてよかったですよ」

そう言って、憑き物が落ちたように、花音はようやく笑った。

「ふふ、そうね」

どうして、あの男に、あれほどまでに夢中になっていたのか、今となってはもうわからない。しかし恋とは、得てしてそういうものなのだろう。だからこそ、さまざまな物語が生まれる。

「花音は結婚したのね」

苗字が変わっている理由はそれしかないと、最初から気付いていた。

「はい、去年。高校生の頃から付き合っていた人と」

「幸せ?」

尋ねなくても、答えはわかっていた。夫婦別姓を選べるようになったこの時代に、相手と苗字を同じにしたいと願うくらいに愛しているのだろうと。

「とても」

その笑顔がすべてを物語っている。

「そう、あなたが幸せで本当によかった」

いつも、それだけを願っていたのだから。

「……茉莉さんは」

花音が、私の顔色を窺《うかが》いながら訊く。

「入院しているの。先月、腫瘍が見つかって」

「そう、なんですか……」

「でも、私たち、絶望してない。私と茉莉の間には、言葉では言い尽くせないほどの素晴らしい思い出があるから」

十五年前、同性婚が認められるようになり、私と茉莉は晴れて結婚した。そして五年前、茉莉の実家であったこの出町柳の一軒家に越してきた。茉莉の父親が他界した翌月に、母親がハワイに移住し、空き家となっていたからだ。本当に二人とも良い人たちだったけれど、心のうちではずっと仮面を剝がして、自由になりたかったのかもしれない。

これまで、様々な人に出会った。

けれど私は、茉莉ほど素晴らしい人間を他に知らなかった。嫌な面も、良い面も、受け止めて、信じ続けてくれた。出会ってからずっと、どんなときも、私のことを愛し続けてくれた。

そして私も、茉莉のことを心から愛している。

「茉莉さんのような編集者になるのが、私の夢です」

「伝えるわ」

ほほ笑んだあと、私はゆっくりと、埃が積もるパソコンの前に移動した。

起動ボタンを押したが、画面は暗闇に包まれたままだ。何十年前の化石のようなパソコンなのだから、当然だろう。

「……冴理先生、私、なんでもします」

それはいつか、茉莉に言われた台詞だ。

天音が亡くなったあと、茉莉は責任を感じて編集者を辞め、しばらくしてから京都の鴨川沿いにカフェを併設した書店を開いた。

半月に一度、舞衣や秋子が、旦那を連れて遊びにきた。

ヨーコさんも日本に帰ってくるたび、世界中のお土産とともに、顔を出してくれた。

私はヨーコさんの本当の名前をいまでも知らない。でも名前なんて、重要じゃないことを、私たちは知っていた。ヨーコさんは、ヨーコさんであり、私は、エリでも、冴理でも、私だった。

そんなふうに、小説を書かなくても、私の人生は満ち足りていた。

死に物狂いで書いていた頃よりずっと、穏やかで、幸せだったかもしれない。

「冴理先生が小説を書いてくれたから、私は生まれてきたんです……」

けれど、ほんとうは。

「冴理先生の作品が、大好きなんです。だから、もう一度だけ……、私と…………」

心のどこかで、ずっと——。

「……希望の物語に、憧れていたの」

あの頃の私はずっと、自分を不幸だと感じながら生きていた。

どうして私だけ、愛されないのだろうと。

どうして天音だけが、愛されるのだろうと。

だけど私は、気づいていなかっただけだった。

「…………必ず、大ヒットさせると、約束してくれる？」

そう言って私が振り向くと、花音は潤んだチョコレート色の瞳から涙を流し、力強く頷いた。

この命が、いつ尽きるかなんて誰にもわからない。

もしかしたら、明日かも、今日の夜かもしれない。

けれど……生み出してみたい。

あの頃書けなかった、希望の物語を。

――私が名前を与えた、あなたと。

すっかり老いてしまった指で、私はゆっくりと、置物と化したキーボードに指を這わす。

そして、舞い上がる埃の中、小説のタイトルを打ち込んだ。


『神に愛されていた』

あとがき

小説家という仕事は、孤独だ。小説家じゃなかったら、もっと人生が楽しかったのではないかと思う瞬間がある。

冴理や天音のような特別な少女ではなかった私は、二十三歳のときにデビューしてから「小説家」と堂々と名乗れるまでに十年かかった。苦しかった。本屋に行くたび、自分の小説なんか必要ないんじゃないかという虚しさが押し寄せた。

けれど私は、どうしようもなく小説を愛していて、書かなければもっと苦しくなってしまう。いつだって、物語を紡いでいるときだけ息ができるような、そんな気がする。

でも振り返れば、どんな気持ちで過ごした夜もすべて無駄ではなかったなと思う。あの悔しくて、死にたいくらい惨めな時間がなければ、『神に愛されていた』は書けなかった。

私はこの小説がとても好きだ。

もちろん、どの作品も命懸けで書いているけれど、そう言い切れる作品が、毎回仕上がるわけじゃない。いつ、どこで、どういう心境で書くかによって、少なくとも私の小説はぜんぜん違うものになる。

この作品は、京都で初稿を書き上げた。それこそ、冴理の住んでいた部屋に程近い、三条京阪近辺の珈琲店に毎日のように通い執筆した。（ヨルシカの楽曲を聴きながら）満たされた時間だった。疲れ切って帰るときの、鴨川の匂いとか、目に映るぜんぶが好きだった。

今年結婚して、初夏に東京へ越してきたのだが、鴨川のきらめきが恋しくて仕方ない。

京都の空気を吸って生きてきたので、東京にいる自分はなんだか、偽物みたいに思う。

この小説のなかで冴理は、様ざまな場所に住むことになるけれど、小説家にとって環境は本当に大切だと感じる。何かが変われば、作品も変わる。誰を愛するかで、素晴らしい小説が書けたり、何も書けなくなったりする。作品を生み出すというのは、人が生まれるのに似ている。だから私はこうして、冴理や天音、茉莉に出会えたことが、奇跡みたいにうれしい。

いつも、いい小説が書けたと思うときは、登場人物が本当にこの世のどこかに存在している気がしてしまう。会いに行って、話せたらいいのにと思う。そのくらい、私の心のなかで彼女たちは生きている。


最後になりましたが、謝辞を。

私の小説を全力で愛してくれた担当編集の篠原康子さんに。

理想以上の装画を手掛けてくださった日下明さんに。

素晴らしいデザインに仕上げてくださった岡本歌織さんに。

宝物のような惹句をくださった、私と同じ『女による女のためのR−18文学賞』出身であるおふたり、デビュー当時からずっと励まし続けてくださった窪美澄先生と、大好きな町田そのこ先生に。

愛してやまない家族に。

そして、数ある書籍の中から、この本を手に取って、このページまで辿り着いてくださったみなさんに。

本当にありがとうございました。

次の本でも、お会いできることを祈って。

二〇二三年九月の雨が降った日に

木爾チレン

本書は書き下ろしです。

本作品はフィクションであり、実在の人物・団体とは一切関係ありません。

【著者略歴】

木爾チレン（きな・ちれん）

1987年生まれ。京都府京都市出身。2009年、大学在学中に執筆した短編小説「溶けたらしぼんだ。」で新潮社「第9回 女による女のためのR-18文学賞」優秀賞を受賞。2012年、『静電気と、未夜子の無意識。』(幻冬舎)でデビュー。その後は、ボカロ小説、ライトノベルの執筆を経て、恋愛、ミステリ、児童書など多岐にわたるジャンルで表現の幅を広げる。2021年『みんな蛍を殺したかった』(二見書房)が大ヒット。翌2022年には『私はだんだん氷になった』(二見書房)、2023年には『そして花子は過去になる』(宝島社)を刊行。

神《かみ》に愛《あい》されていた

2023年11月5日　初版第1刷発行

著者
木爾チレン

発行者／岩野裕一

発行所／株式会社実業之日本社
〒107-0062 東京都港区南青山6-6-22　emergence 2
電話　【編集】03-6809-0473　【販売】03-6809-0495
https://www.j-n.co.jp/
小社のプライバシー・ポリシーは上記ホームページをご覧ください。

DTP／ラッシュ

印刷所／大日本印刷株式会社

製本所／大日本印刷株式会社

ISBN978-4-408-53840-2（第二文芸）